»Ziemlich geneigt wäre aas volkchen a...
allein seine Armut, seine Häuslichkeit, erlauben kaum einmal des Jahres
zur Kirchweihzeit diesen Lockungen zu frönen.«

(Josef Kyselak)

Peter Rohregger (Hg.)

UNTER TIROLERN
– anno 1825

Ein wagemutiger Wiener im Gebirge

Bibliografische Information der Deutschen Nationalbibliothek:

Die Deutsche Nationalbibliothek verzeichnet diese Publikation in der Deutschen Nationalbibliografie; detaillierte bibliografische Daten sind im Internet über http://dnb.de abrufbar.

1. Auflage, April 2017
© Peter Rohregger

Coverbild: bpk/adoc-photos

Herstellung und Verlag:
BoD – Books on Demand, Norderstedt

ISBN 978-3-7431-9728-2

INHALT

EINLEITUNG

In Begleitung seines weißen Wolfshundes Duna betrat Josef Kyselak an einem Septembermorgen des Jahres 1825 Tiroler Boden. Sein Eintritt in dieses alte Kronland, die »gefürstete Grafschaft«, erfolgte am Gerlospass. Der auf Schusters Rappen einen nicht unerheblichen Teil der österreichischen Monarchie innerhalb von zwei Monaten erkundende 27-jährige Wiener *Registraturs-Accessist* bei der *k. k. Privat-, Familien- und Vitikalfondskassenoberdirektion* durchwanderte in den vorhergehenden Tagen das erst seit wenigen Jahren zu Österreich gehörende Salzburger Land, und insbesondere zuletzt im Pinzgau wurde er als Fremder äußerst misstrauisch beäugt. In Saalfelden erregte der Wanderer Aufsehen, als er bei einem Metzger Fleisch für seinen hungrigen vierbeinigen Begleiter kaufte. Dass Kyselak als »Herr« aus der Reichshauptstadt zu Fuß unterwegs war und nicht standesgemäß mit der Kutsche reiste oder zumindest auf dem Sattel eines Pferdes saß, erweckte allgemeinen Verdacht, und so musste der wandernde Vaterlandserforscher den Marktschreiber von Saalfelden – eskortiert von einer neugierigen Menschenmenge – auf die Amtsstube begleiten, damit dort die Anwesenheit dieses Fremden auf ihre Rechtmäßigkeit überprüft werden konnte.

Eine letzte und nicht ungefährliche Kostprobe pinzgauerischer »Gastfreundschaft« erhielt der allen Widrigkeiten stets trotzende Wiener etwas abseits von Krimml. In einem einsamen Gehöft auf dem Weg in Richtung Gerlos wollte Josef Kyselak um Speise und um ein Nachtlager bitten. Als Reaktion auf dieses absonderliche Ansinnen wurden drei wütende große Hunde auf ihn gehetzt, gleichzeitig verlangte der Hausherr lautstark nach seinem Gewehr: »Hansl, Dommel (Thomas), Kospa (Kasper) – gebts d' Büchs, dass i zomschois den Foacker!«

Der brave Duna verteidigte seinen Herrn gegen die drei Bestien mit Todesmut, gelangte allerdings rasch in die Defensive. Kyselak tat es nicht gern, doch in Ermangelung einer humaneren Alternative musste er den aggressivsten der drei angreifenden Hunde mit seinem Stockdegen töten. Dann war Ruhe, die zwei anderen zogen sich eingeschüchtert zurück. Noch bevor der Pinzgauer Bauer seine »Büchs« schussbereit hatte, waren Kyselak und sein Duna schon in der Nacht verschwunden.

Der landes- und volkskundlich wissbegierige Wiener war mit einer Flinte und einem Stockdegen bewaffnet. Ein Reiseratgeber aus jener Zeit gab zum Thema *Verteidigungsmittel* folgende Empfehlung: »Pistolen öffentlich als Fußgänger zu führen, sieht gar zu renommistenmäßig aus; und Taschenpistolen geben ein gewisses Banditen-Air, und man könnte leicht darüber Händel mit der Polizei des Landes bekommen; allenfalls stecke man ein doppelläufiges Terzerol in die Umhängetasche. Ein tüchtiger Stock, mit einer guten Rapierklinge oder herausspringendem Stilett oder oben mit einem starken bleiernen Knopf versehen, um im Notfalle als Streitkolben zu dienen, dünkt mir noch immer die bequemste Wehre für den Fußgänger, ja zweckmäßiger als Hirschfänger oder Säbel. Ein großer Hund ist freilich der sicherste und treueste Beschützer, allein wie jede Sache ihre gute und ihre schlimme Seite hat, so kann ein solcher Hund, wenn er nicht gut dressiert und zum Gehorsam gewöhnt ist, uns unterwegs durch Anfälle auf fremde Tiere und Menschen in große Verdrießlichkeit bringen, außerdem setzt er uns auch in die Notwendigkeit, in jeder Stadt oder Land nach den Polizeiverordnungen wegen der Hunde zu forschen, um nicht in Strafe zu verfallen.«

Das Reisen in jenen Jahren des frühen Biedermeier – Eisenbahnen fahren erst einige Jahrzehnte später – war nicht frei von Gefahren für Leib und Leben. Auch in Mitteleuropa gingen noch Wegelagerer und Straßenräuber ihrem ruchlosen Handwerk nach. Das zu Beginn des 19. Jahrhunderts erschienene »Reisehandbuch für Jedermann« warnte eindringlich:

»Kommt ein Unbekannter unterwegs zu uns oder weiß er uns den Weg, so lasse man ihn vorangehen und richte es immer so ein, dass er, zumal auf schmalen Pfaden und in Wäldern, nie hinter uns hergehe. In Städten kann man immer sicherer übernachten als in Dörfern und Weilern. Auf einzelnen Mühlen, Schenken, Höfen, zumal wenn sie in Wäldern liegen, halte man sich nicht zu lange auf und übernachte nie in denselben. Sieht man eine solche unsichere Gegend oder Gehölze in der Ferne und kann man aus dem schon sinkenden Tag abnehmen, dass man sie vor später Nacht nicht werde zurücklegen können, so tut man besser, an einem sicherern Orte über Nacht zu bleiben, als sich in Gefahr zu begeben. Man ziehe seinen Geldbeutel nie öffentlich vor verdächtigen Fremden heraus oder zähle gar seine Barschaft.«

Kyselak begegnete auf seinen Wanderungen durch die Monarchie einigen zwielichtigen Gestalten, Dieben und Gaunern, doch durch das richtige Gespür im jeweiligen Moment, konnte er heiklen Situationen immer rechtzeitig ihre Schärfe nehmen.

Der 1798 geborene Beamtensohn aus Wien besuchte das Piaristen-Gymnasium in der Josefstadt. Das Studium der Philosophie nach der Matura blieb ein Versuch, nicht aus Mangel an Talent, sondern aus Mangel an Lust. Josef Kyselak senior verschaffte seinem Buben schließlich eine Stelle als »Registraturs-Accessist« in der k. k. Hofkammer. Es kann erahnt werden, dass Josef Kyselak junior in diesem »Brotberuf« keine umfängliche Befriedigung fand. Sein Interesse galt Land und Leuten, der Volkskunde und der Geographie sowie der Schriftstellerei. Einer breiteren Öffentlichkeit wurde der junge Beamte aus Wien durch die Eigentümlichkeit bekannt, seinen Namen an möglichst vielen und vor allem außergewöhnlichen Plätzen der österreichischen Monarchie zu hinterlassen – auf Felswänden in den Bergen ebenso wie auf besonderen Bauwerken und sonstigen exponierten Stellen. An einigen Örtlichkeiten ist Kyselaks Schriftzug heute noch zu finden, so etwa an der Felswand beim Rothenhof nahe der Gemeindegrenze zwischen Dürnstein und Krems. Die »Unart dieser Schmiererei«, wie es Kaiser Franz in einer persönlichen Rüge an Kyselak formulierte, entsprang offenbar einer Wette unter Freunden. Im »Biographischen Lexikon des Kaiserthums Oesterreich« von 1865 wurde Kyselaks Eigentümlichkeit mit seiner großflächig (mit schwarzer Ölfarbe) hinterlassenen Signatur folgendermaßen erklärt:

»Kyselak habe einmal in einem geselligen Kreise, in welchem von Ruhm, ewigem Nachruhm und Unsterblichkeit die Rede war, die ihm angebotene Wette angenommen, seinen Namen durch das Gebiet der österreichischen Monarchie bekannt zu machen, ohne jedoch dies zu tun, indem er ein ungeheures Verbrechen begehe oder eine neue Art des Selbstmordes anwende. Kyselak verlangte drei Jahre Zeit und versprach, nach Verlauf derselben wolle er auch im einsamsten abgelegensten Tale, auf unzugänglichen Bergen zu finden sein, so dass selbst Fischer, Jäger, Hirten und dergleichen auf seine Spur hinweisen würden. Die ausbedungene Zeit war noch nicht zur Hälfte verstrichen, als Kyselak zugestanden wurde, seine Wette gewonnen zu haben. Sein Name war im ganzen Reiche bekannt, Tausende von Fremden trugen ihn ins Ausland, ja selbst jenseits des Kontinents wurde er genannt. Die Sache war einfach zugegangen. Kyselak, ein rüstiger Fußgeher, ein schwärmerischer Freund der Natur, ein Waghals im Klettern und Steigen, hatte auf seinen Wanderungen Pinsel und schwarze Farbe mitgenommen und überall, wohin er, oft unter halsbrecherischen Schwierigkeiten, gelangen konnte, seinen Namen mit weithin leserlichen Buchstaben geschrieben. Wenn nun andere Freunde der Natur, Touristen, Lustreisende desselben Weges kamen, fanden sie immer wieder diesen Namen, der so von Mund zu Mund, von Stadt zu Stadt und von Land zu Land ging.«

Der umtriebige Josef Kyselak wagte sich im Jahr 1825 an ein spektakuläres Unterfangen, nämlich der Durchwanderung weiter Teile des österreichischen Kaiserstaates, um seine Erlebnisse und Eindrücke schließlich in Buchform zu veröffentlichen. Eine informative Länder- und Völkerkunde sollte es werden, denn was wussten etwa die Wiener schon von den Tirolern, außer, dass jene wilde Gesellen sind und im Jahr 1809 Napoleon bis zur Weißglut reizten. »Reiseschriftstellerei«, das war die künftige Passion des nun 27-jährigen k. k. Registraturs-Accessisten. Er ließ sich im Amt beurlauben und marschierte im Sommer 1825 in Begleitung seines Hundes Duna los. Das literarische Ergebnis seiner »Expedition« durch die Berge und Fluren des Vaterlandes war das 1829 im Wiener Anton Pichler-Verlag erschienene zweibändige Werk *Skizzen einer Fußreise durch Oesterreich, Steiermark, Kärnthen, Berchtesgaden, Tirol und Baiern nach Wien – nebst einer romantisch pittoresken*

Darstellung mehrerer Ritterburgen und ihrer Volkssagen, Gebirgsgegenden und Eisglätscher auf dieser Wanderung, unternommen im Jahre 1825.

Aus jenem umfangreichen Druckwerk wurden für dieses Buch Kyselaks Erlebnisse in Tirol übernommen. In dem damals überaus rückständigen und armen Alpenland fand der rüstig marschierende Wiener, der meist täglich enorme Strecken absolvierte und auch gefährliche Höhen nicht scheute, ein exotisch anmutendes Völkchen vor, dessen Lebensart und Denkgewohnheit den Sprung ins 19. Jahrhundert vielfach noch nicht geschafft hatte.

Ein Zeitgenosse Kyselaks, der in Wien und Lemberg tätige Polizeikommissär, Professor und Freizeitvolkskundler Josef Rohrer schrieb in seinem 1796 erschienenen Büchlein *Uiber die Tyroler* sehr treffsicher: »Zwar scheint eine gewisse Eingeschränktheit in den Begriffen, ein gewisser mit vieler Behaglichkeit verbundener Ideenstillstand, welcher nicht unrichtig mit der Unbeweglichkeit der jeder Gewalt trotzenden Felsenmassen verglichen werden kann, das Los der Gebirgsbewohner zu sein; allein in Rücksicht der Tyroler ist dies der entschiedene Fall. Unmöglich kann es für die Einsichten derselben eine günstige Meinung erregen, wenn man erwägt, dass oft in großen Dörfern kaum einer, und dieser Einzige nur sehr mittelmäßig lesen oder schreiben kann.«

Etwas mehr als ein Jahrzehnt später war in einem durch die Stein'sche Buchhandlung in Nürnberg veröffentlichten Text zu lesen: »Im Allgemeinen galt bisher der Tiroler für bieder und treuherzig; Ehrlichkeit und Redlichkeit charakterisierten ihn; aber er ist auch äußerst heftig, roh, hartnäckig und bigott. Seine Anhänglichkeit am Alten ist so groß, dass er weder in Kleidern, noch in Essen und Trinken etwas ändert und taub für alle Verbesserungen ist. Er bekennt sich zum katholischen Glauben; aber seine Religion ist bloß Andächtelei und Aberglauben.«

Vierzehn Jahre nach Kyselaks »Tirol-Expedition« schrieb Johann Jakob Staffler, »der Rechte Doktor und Sekretär bei dem tirolischen Gubernium«: »Sehr viel Derbheit und selbst Rauhheit der Sitten wirkt abstoßend in manchen Tälern. – Die Neigung zum Genusse des Weines, und vorzüglich des Branntweines, bis zur Unmäßigkeit, greift in vielen Gegenden als äußerst verderblich um sich, besonders unter der männlichen Jugend, so die Sucht nach dem Kaffee unter dem weiblichen Geschlechte.«

Etwa zur selben Zeit klagte der herzoglich Sachsen-Coburg-Gothaische Kammerherr und Regierungsrat Moritz von Haacke über das gastronomische Unvermögen der Tiroler: »Man lebt übrigens schlecht in Tirol; die Gasthöfe sind sehr mittelmäßig, es fehlt oft an den gewöhnlichsten Bequemlichkeiten des Lebens; die Kost ist erbärmlich, nicht weil es an Lebensmitteln fehlt, sondern weil man es nicht versteht, die Speisen schmackhaft zuzubereiten.«

Als Josef Kyselak im Herbst 1825 am Gerlospass Tiroler Boden betrat, fand sich von einer touristischen Erschließung des Alpenraumes noch keinerlei Spur. Erst das zwölf Jahre nach Kyselaks Tirol-Erkundung in London erschienene *Handbook for Travellers in Southern Germany* lenkte die Aufmerksamkeit auch auf das in weiten Teilen seines Territoriums bitterarme Tirol. Der neuartige Reiseführer erfreute sich einer erstaunlichen Popularität, so dass bald zahlreiche weitere Werke ähnlicher Art den Buchmarkt eroberten und enorm dazu beitrugen, das Gebirge als Reiseziel für immer mehr Menschen populär zu machen.

In den Dörfern, Märkten und Städten entlang der seit Jahrhunderten von Kaisern, Soldaten, Wanderhuren sowie Kauf- und Handelsleuten genützten Transitstrecken von Nord nach Süd war man den Umgang mit Fremden mehr oder weniger gewöhnt. Hier übten sich die Einwohner ja auch schon früh in der merkantilen Kunst, den Reisenden für möglichst wenig Gegenleistung relativ viel Geld abzuknöpfen. Ganz anders sah es abseits der Handelsrouten und Ferntransitstrecken aus. Dort bewegte sich der Lebenskreislauf noch in sehr engen Bahnen. Das Weltbild war schlicht und von der Religion bestimmt. Der Kontakt mit einem Fremden, insbesondere wenn dieser aus der fernen Haupt- und Residenzstadt kam und daher sein Brot nicht mit schweißtreibender Arbeit auf dem Acker verdienen musste, war ein Ereignis, welches das enge

Korsett des Alltags sprengte. Gastfreundschaft und Neugier standen nicht selten im Widerstreit zu Ablehnung und unverhohlener Antipathie, der Fremde könnte ja auch ein lutherischer Ketzer sein und möglicherweise Glaubensgift im Land verbreiten.

Für die Leute war es damals ja auch schwer nachvollziehbar, dass jemand einfach so – aus Interesse an der Natur, an Land und Leuten – auf die höchsten Berge und in die hintersten Täler krauchte, so wie Josef Kyselak, der k. k. Registraturs-Accessist aus Wien. Hatte so ein »Stadtfrack« nichts Besseres zu tun? 16 Jahre nach dem Tiroler Aufstand gegen den verhassten Napoleon und dessen bayerischen Vasallen erwanderte der unerschrockene Wiener Teile Tirols, in denen das Leben noch sehr archaisch war. Dort lernte er absolut urwüchsiges Tirolertum kennen, und sein *hautnaher* Erlebnisbericht erlaubt uns eine informativ-unterhaltsame Zeitreise in das Jahr 1825, als Andreas Hofers Mitstreiter noch in ihren Erinnerungen an die Kämpfe von 1809 schwelgten. Mit Anna Hofer, der Witwe des Tiroler Nationalhelden, plauderte Josef Kyselak über diese bewegte Zeit, die dem *Ander* zwar eine goldene Kette vom Kaiser einbrachte, ansonsten aber nur Not und Elend gebar.

An der Rechtschreibung des 1829 veröffentlichten Textes von Josef Kyselak wurden für dieses Buch nur geringfügige Veränderungen vorgenommen (etwa das heute übliche ss anstatt ß).

Geografische Bezeichnungen von Berggipfeln, Gletschern (Fernern) u. a. erfolgten durch Kyselak oft nur nach jenem Wortlaut, den dieser im Dialekt der Einheimischen hörte. Deshalb – und weil sich bestimmte Benennungen innerhalb von zwei Jahrhunderten auch verändern können – sind einige der im folgenden Text genannten Geländepunkte auf heutigen Landkarten nicht lokalisierbar.

Außerhalb von Gerlos huschte der erste Tiroler an Kyselak und dessen Hund vorüber. Kurz vor dieser Begegnung mit jenem scheuen Exemplar dieses stolzen Alpenstammes beginnt der Tirol-Report des jungen kaiserlichen Beamten aus Wien:

Tirol.

Bald geriet ich in hohen Wald, der dichter und steiler als der vorige sich hinzog – ich wanderte nun auf tirolischem Boden. Mächtig sprach mich das Gefühl an: um Mitternacht in das Land meiner Wünsche und Achtung einzutreten, welches eine bewährte Schanze voll von kühnen Männern ist, doch den Wanderer ruhig und sicher zu allen Stunden seine Gebirgsschluchten durchdringen lässt.

Mein Hund schnaufte und bellte, sprang vor, und kehrte mit ängstlicher Gebärde zurück; ich vermutete, eine bedeutende Wunde müsse ihn quälen, aber plötzlich setzte er über entwurzelte Stämme, einige Laute noch, und im Nu war er im Forste verschwunden. Ich stand wie vom Blitze getroffen; noch nie verließ er mich, auch nicht eines Wildes wegen, das er jetzt halb ängstlich, halb begierig zu verfolgen schien. Ich konnte und wollte nicht allein weiter wandern, und doch war die Zurückkehr des Entlaufenen zweifelhaft. Ich setzte mich auf den Stamm und sah gerade gegenüber etwas Weißes am Grase liegen; bei näherer Besichtigung erkannte ich den Hinterteil einer jungen Ziege. »Hier müsse ein Wolf sein Mahl gefeiert haben«, folgerte ich, »und wer weiß, ob Duna den Räuber nicht kannte?« Durch das oftmalige Beriechen von Wolfsfellen hatte ich ihm den natürlichen Scheu vor diesen Unholden benommen, und somit übte er seine Jagdlust. Ich schoss ihm einige Signale; er kam endlich zurück, ob als Sieger – weiß ich nicht; doch eine Wunde, welche er bei diesem Scharmützel davon getragen, ist heut noch unbehaart zu erkennen.

Nach geraumer Strecke bog sich der Weg durch einen Verhau von Stämmen und Zweigen. In dem Holzschlage hatte sich ein Bächelchen gedämmt und bildete dadurch grundlosen Sumpf. Ich suchte aufwärts einen seichteren Platz, um leichter durchzukommen, und bemerkte im Mondenlichte ein Holzhacker-Hüttchen, welches zwar ohne Tür, aber für mich Ermüdeten sehr willkommen war. Duna wurde an den Eingang gekuppelt, mein Degen ober dem Haupte in die Dachbretter gestoßen, und so warf ich mich mit dem wohlgeladenen Gewehre auf das aus Moos und Laub reich bereitete Lager.

Trotz Vorsatz hätte ich beinahe den halben Vormittag verschlafen; aber ein Bauer, vorüberwandernd, reizte die Wachsamkeit meines Hundes, sein Bellen trieb mich zur Hütte hinaus, und eh ich noch das Tier besänftigte, war der schnellfüßige Bursche schon entflohen. Sechs Uhr – ich fühlte mich herrlich gestärkt! Die Morgenkälte drang sich zwar empfindlicher als gewöhnlich auf, aber der Füße schnelleres Streben war bald Besiegerin dieser unschädlichen Empfindung. In dem Grase, das von des Himmels wohltuenden Morgentränen perlte, spielten lichtgrüner die Fußstapfen meines Vorläufers; ich erkannte an der Ausdehnung derselben, die beflügelte Eile des Vorbenannten. »Was mag den Armen so angetrieben haben, dass er dieses herrliche Naturtheater so schweißtreibend flieht? Angst gewiss nicht, denn da hätte er nicht auf gerader Strecke stundenweise fortgestrebt, sondern beiderseits im dichten Holze genug Gelegenheit zu seiner Sicherung gefunden.

Nun kam ich auf ein kleines Wiesen-Oval; ringsherum standen Lärchenbäume; mehr durch heranhangendes Moos als Jahre entstellt, schienen sie den Tränenweiden zu gleichen, an Höhe aber den Hauptmasten der Kriegsschiffe. Selten gelingt es der freundlichen Sonne niederzublicken durch die versponnenen Arme dieser Riesen auf deren elastischen Boden. Auf der von einem Bächlein durchrieselten Wiese haben Wanderer oder Schöpfung Steine zum Ausruhen gehäuft; man könnte sie für Überreste ansehen von dem ehemalig hier gefeierten Gottesdienste abergläubischer Druden, wozu das unheimliche Dunkel, die melancholische Gegend und tote Stille das ihrige beiträgt. Dichter in der schwarzen Wildnis zur Rechten sah ich das Skelett einer ehemaligen Hütte. Etwas Baumrinde der Bedachung und die erübrigten Querbalken könnten sich nun nimmermehr den Dank des Pilgers bei Unwetter erwerben.

Als ich meinen Durst mit dem guten Wasser befriedigt hatte, kam ein Bursche außer Atem mir nachgelaufen. Er fragte, ob ich nicht Einen ihm ähnlichen jüngst gesehen? Bejahend zeigte ich die Grasspuren. »Nun da könne er ihn wohl noch errennen, obgleich jener sein Wort nicht hielt und beim

Mordhölzel

wartete.« »Freund, da musst du schneller sein als ein Hirsch!« erwiderte ich, »denn jener lief ärger wie du; aber wohin denn so eilig?«

Er: »Noch Zell, s' is holt Kietog, und do geiht's luisti; a Fleisch, wos z'dringa und an guits Boacht, dos hom mir Hulzhokaknecht olzat s' Johr saml, und s' Tonza nimmt gor schu kua End.«

Ich: »Darum also! Und wo ist denn das Mordhölzel, wo dich dein Gefährte erwarten sollte, und warum nennst du es so?«

Er: »No des zombrochne Kaischl, wo i z' dir kema bin, hoaßt so; s' is amol a Rauba beim Stroafen vo Jagern zomgschossn worn.«

Fort eilte er, als wenn ihm die Sohlen brennten, um nach vier Stunden den ermatteten Körper mit Tanz zu vergnügen, und nebenbei als Leckerbissen ein Stück Bocksfleisch zu genießen – unglaublich! Und doch wahr! – Warum aber mag sich hier einst ein Räuber aufgehalten haben, wo keine Menschen – und keine Schätze sind? Wahrscheinlich ein unglücklicher Raubschütze, der, um nicht zu verhungern, sich in diese Wildnis bannte, bis ihn ein Schuss davon erlöste.

Noch das harte Los misshandelter Geschöpfe erwägend, kam ich auf eine offene Berghöhe. Erhaben bieten sich daselbst die Grenzpunkte des Alpentales: der hohe Filzberg, wilde Kopf, die Gerlos-Spitzen ec. Wald, Felsen, Wiesen, Klippen, Schneespitzen und Gießbäche sind eng in schönster Unordnung durch einander geworfen, um den Eindruck zu höhen, die Erinnerung daran reizender zu erhalten. Am Abhange einer Wiese links stehen 13 Sennhütten, wie ein Dörfchen vertraulich gereiht. Dies ist

die wilde Gerlos –

beinahe die reichste Alpenanpflanzung, gegenwärtig aber ihrer Bewoh-

Edelweißpflückerinnen.

ner entblößt, welche in wärmerer Tiefe den Spätsommer zubringen. Auf hölzerner Tafel, an einem Baume befestigt, erkennt man des Tirolers Neigung: »Tanzen und Trinken«, wie ihn das gut entworfene Bild zeigt, mit der Unterschrift: »Weg ins Zillertal«.

Zwei Sennhütten auf der Anhöhe zur Rechten waren noch bewohnt; ich genoss darin mein Frühstück an vortrefflicher Milch, jedoch das Brot war für mich ungenießbar, aber staunenswert! Es bestand aus gar nichts anderm als Hafer- und Gerstenkleie, in welche zum Zusammenkneten etwas Türkenweizmehl gemischt wurde; Häckerling schien entweder geflissentlich oder aus Nachlässigkeit darin zu sein. Dieses Brot hatte eine längliche Wurstform, und da es bereits sehr hart war, schlug der Alpler mit dem Beile einige Stücke ab, um sie für mich in der Milch aufweichen zu lassen. Ich verbat mir dankbarst diese Güte und frug, ob dieses das gewöhnliche Brot für die Bewohner sei?

Er: Jo mir soans schu gewohnt, dir moags epping z' schper schmecka.

Ich konnte von schmecken gar nichts sagen, frug aber, warum sie denn das Brot nicht aus Mehl bereiten?

Er: S' Mehl is hoalt ollas z'gluik, und wernd draus d' Knödl gmoacht, wochsa duit jo ollas z'wengi.

So muss denn dieser schöne Landstrich gerade der ärmste sein? Ich glaube die meisten Gebirgsgegenden des Erbkaisertums besucht zu haben und fand wohl in den Karpaten Erdäpfelbrote, aber Kleien- und Häckerling-Gebäck für Menschen (!) war mir das Neueste.

Nun leitet der Weg abwärts über Steingerölle, das die Bergbäche nach Gussregen zwischen den Gebüschen zurücklassen und wo sich zu solcher Zeit gewiss kein Wanderer durchwagen kann. Im Tale schwindet das Nadelholz, Weiden und Erlen tauschen mit selbigen und verengen den Pfad; die Gerlos schäumt unten, erbost, dass man sie nicht sieht; wo aber der Weg höher strebt zum Gürtel der Berge, das Tal sich geduldig ergibt der rasenden Flut, fühlt der Felsen-sprengende Bach seine gewohnte Schnelle plötzlich gehemmt durch menschlichen Willen. Eine Klause ists, ganz von Holz, aber kräftig gedacht und erbaut, welche die zerstörende Gerlos zwingt, Nutzen zu bringen, mit dem Hinabtragen zerstückelter Wälder. Wild streiten die Gewaltigen mit einander, dass man begierig hinabeilt, den Sieger zu loben. Diese kaiserliche Holzklause, erst unlängst erneuert, mißt 114 Schritte, sie ist die größte und schönste, welche ich je gesehen; die Festigkeit muss dem Äußeren gleichen, sonst würde im nächsten Frühjahre der sich dabei bildende See, das herrliche Werk und Kapital verschlingen.

Bewundernswert fand ich die übergroßen Forellen, welche in Schwemmwässern eine Seltenheit, nicht nur zahlreich die Klausenkanäle umschwammen, sondern im kristallenen Elemente ohne alle Scheu die hineingeworfenen Brotkörnchen augenblicklich naschten. Letzteres mag die Folge des vernachlässigten Fischfanges sein, weil die Umwohner gewohnt sind, lieber bei Milch und Brot die hier häufigeren Fasttage zu verkümmern, als mit geringer Mühe durch wohlschmeckende Fische den Gaumen zu kitzeln. Die Schönheiten dieses Tales bis Zell bleiben mir ewig unvergesslich; aus einer Situation in die andere fühlte ich mich versetzt. Mit dem Steigen und Sinken des Weges, mit der Faunen und Dryaden schnellem Wechsel, und mit des Plutus und Neptuns ernstern Stellen, harmoniert das Gemüt des reisenden Fremdlings. Die 37 Häuschen des

Dorfes Gerlos

ruhen einzeln zerstreut auf einem kleinen Talabhange, welches rings herum Kleefelder und Wiesen mit 100 Kaischen begrenzen. Diese kleinen Vorratskammern balancieren wie Mücken auf den verschieden gefärbten Spitzhöhen; zu mancher müsste man ohne Eisen auf allen Vieren empor kriechen; ich glaube, dass alljährig einige dieser Unbeachteten durch Wind oder Schneelawinen hinabspazieren.

In dem untröstlichen Wirtshause war außer schlechtem Biere, starkem Branntweine und miserablem Kleienbrote, wovon ich ein Stück zur Schau nach Innsbruck mitnahm, nichts zu bekommen. Drei Viertelteile der Dorfbewohner jubelten zu Zell, dafür schienen die Zurückgebliebenen einen Bußtag zu feiern. Außer dem Dorfe wird der Weg am Bache freier, jedoch sieht man daran, so wie an den Grenzwiesen, die schädlichen Spuren der alljährigen Überschwemmung, welcher nicht durch gehörige Dämme vorgebeugt wird. Über große Steine musste ich die Gerlos überschreiten; die Brücke hatte das letzte Hochwasser mitgenommen, und man ist vermutlich so klug, zu warten, bis sie wieder zurückkommt.

Der Weg windet sich in einen ehrbaren Nadelwald hinauf, mit jedem Schritte steigt der pittoreske Wert der Wanderung. Treppelwege führen über abstürzende Wasserfälle und gähnende Abgründe; in schwindelnder Tiefe wirbelt sich die schneller wachsende Gerlos in den Stuben des Flussgottes, abgespülte Bäume tanzen darin den üppigen Walzer und erweitern die Größe des Wellenraumes, zwischen den Waldlücken sieht man hie und da auf kahlem Wiesenstreifen eine dürftige Hütte, mit Kindern reicher als mit Nahrung ausgestattet, vor der wohlhabenden Welt versteckt; nahe dabei trösten steile Fleckchen Hafergrund, ein Rübenfeld, und bei Glücklicheren – Erdäpfel (!) die Gesamtzahl vor gänzlichem Erhungern.

Diese Gegend ist für den Meisterpinsel eines Salvator Rosa würdig; wäre aber Ovids Exil hierher angewiesen worden, er hätte sicher den Mut auch zum Schreiben verloren, und doch ertragen diese Bewohner auf eine bewunderungswürdige Weise Unwetter und Schicksal.

Liebe Gewohnheit mit deiner holden Schwester – Zufriedenheit! Wo sollte man euch finden, wenn ihr nicht im Bereiche der Armen euren Wohnsitz behauptet? Längst hat euch die Mode und Habsucht aus den Städten verbannt!

Wolfsbesuche.

Links entkletterten kaum merklichen Gangsteigen zwei weinende Dirnen. Mir waren die Tränen im Gebirge bei aller Not fremd geworden. Auf mein Befragen um die Ursache ihres Kummers, erwiderten sie schluchzend: Eben habe der unersättliche Wolf ihre schönste Kalbin auf dem Fierst-Joche erwürgt; sie hätten vor mehreren Tagen schon abtreiben sollen, und weil übergenug Futter war, zögerten sie; nun würde der Schadenersatz und Zorn der Herrin gleich fürchterlich sein. – So gibt es doch nirgends ein Eldorado auf Erden! Wo Menschen nicht feindselig gegen einander nagen, benützen Raubtiere ihr grimmig Gebiss.

Die Gegend, welche ohnedies einen hohen Grad von Wildheit bereits erreichte, schien mir durch diese traurige Geschichte, wo möglich, noch furchtbarer; dabei wunderte mich nicht, dass eine Schar Kinder, welche Waldnüsse und sonstige Kleinigkeiten nach Hause schleppten, bei meinem Anblicke die mühsam errungene Beute wegwarfen und ohne mein Rufen zu beachten, sich in zwei morschen Hütten versteckten, woran die besorgten Mütter schnell die Türen sperrten, und dann mit ängstlicher Miene durch die kaum merklichen Fenster lugten.

Wenn schon ein einzelner Reisender (ich weiß nicht um was) bange Furcht erzeugt, wie oft mögen diese Armen bei wirklicher Ursache das Ende ihres Kummers erwarten? Das Leben um die Erziehung dieser Wildlinge bemitleidend, wanderte ich auf dem nun immer besser werdenden Wege fort, bis mit Schluss des Waldes die Gegend sich erheiterte und ein reicheres Ansehen gewann. Hier neckten sich lustige Geißen, dort sah ich an einer preiswürdigen Herde, dass des Zillertales angerühmtes Hornvieh keine Übertreibung wäre. Menschen waren selten – aber auf stündiger Entfernung Kirchtag! Es freut sich der Bauer über die mütterliche Sorgfalt der wohltätigen Ceres [römische Göttin des Getreides und des Ackerbaues], welche bei Heitzenberg [Hainzenberg] großmütiger die Hügel bestreicht. Wie doch der Mensch unkonsequent ist! – Auf dem verschwenderischen Fruchtboden Ungarns und Baierns [Bayern] gähnt der Wanderer vor langer Weile; und sieht er in Gebirgen einige Äcker: so haftet mit Wohlgefallen sein Auge auf dieser Seltenheit und er bedauert, nicht mehrere zu finden! – Dass doch alles Häufige Gleichgültigkeit erzeugt, wenn es auch nützlich ist! Ich glaube, wenn auf der guten Welt sehr wenig Menschen lebten, dann wäre der Zeitpunkt, dass sie sich wirklich nach einander sehnten und liebten!

Kirchtagsfeier im Dorfe Zell.

Von vorbenannter Gemeinde bietet sich bereits ein malerischer Überblick des tief eingeschlossenen Dorfes Zell und der sich dabei gattenden

Ziller- und Gerlos-Bäche. Auf dem steilen Hinabwege überraschen links große Felsenklüfte, in die man mehrere Klafter weit eindringen kann, bis sie verwachsen oder halb verschüttet, die weitere Untersuchung lästiger machen. Es sind die alten Einfahrtsstollen des ehemaligen reichhaltigen Goldbergwerkes, welches aber wegen Erschöpfung bereits lange aufgelassen ist. Der Geigen, Trompeten und Pfeifen Freude verkündender Ton sprach allmählig eingreifender zu den Kehlen der singlustigen Tänzer. Hier in Zell war es ein Wettkampf zwischen Gesang, Spiel und Fußgetrampel um den überwiegenden Lärm. Ich dachte, die hölzernen Wirtshäuschen müssten zusammenbrechen, durch das im ersten Geschoße Staub ausbreitende Springen; da krachten und blitzten noch gesellig dazu der Scharfschützen wohlberechnete Schüsse; und in dieses überwiegende Echo mischte sich jenes der beständig tätigen Kegler.

Zell am Ziller.

Grell widersprach diesem freudigen Quodlibet [Mischmasch] die ungemeine Anzahl mühseliger Bettler, welche dieser Erlustigungstag aus weiter Entfernung hierher berief, um von der Mildtätigkeit minder armer Landsleute zu profitieren.

Außer den mit Kleidungsstücken aller Art, Gewehren, Gamsbärten, Tücheln und sonstig gewöhnlichen Krampack angepropften Markthütten, welche viele Käufer und weit mehr Bewunderer zulockten, waren etwas entfernter die herrlichsten Kühe, schöne Ziegen und veredelte Schafe zum Handel aufgestellt. Ich sage »zum Handel«, weil deren Besitz bei dem hierorts nur zu auffallenden Geldmangel, nach Art der alten Deutschen, welche ebenfalls bei ihren lobenswerten Eigenschaften kein Geld hatten, mittels Tausch und Daraufgabe abgeschlossen wurde.

Nunmehr glaube ich auf Bau, Kleidung und Charakter der Zillertaler übergehen zu müssen. Mehr groß als mittelmäßig, ist der Männerschlag gewöhnlich zu 5 Schuh 6 Zoll bis 10 Zoll österreichischen Maßes; dabei aber entbehrt er den starken Knochenbau und die Breite des Körpers, welche dem Inn- und Pustertaler eigen sind; das Frauenzimmer hingegen braun oder blond, ist, bei angenehmer Gesichtsbildung, klein und wohlbeleibt. Beide Geschlechter sind unter allen Tirolern am wenigsten von Kröpfen entstellt.

Für Grün sind die Zillertaler dermaßen eingenommen, dass sich nicht nur der Mann, sein kurzes ledernes Beinkleid ausgenommen, beinahe ganz in dieser Hoffnungsfarbe samt dem hohen kurzkrämpigen Filzhute gefällt, und das Frauenzimmer den langen vorragenden in vielen Falten geworfenen Unterrock oder das enge Leibchen (Korsette) von grünem Stoffe sich wählt: sondern man sieht einige Häuser auf solche Weise bemalt und die meisten zugespitzten Kirchtürme in dieser Farbe glänzen.

Beim Trunke entlarvt gemeiniglich der Mann seine Gesinnungen und Eigenschaften, hier gilt dies sogar vom Weibe und Mädchen. In der Gaststube sah ich zum größten Erstaunen beide Geschlechter ohne Unterschied der Jahre gleich begierig dem schlechten Biere und Kornbranntwein huldigen. Nach jedem Zuge wurde gesungen und getanzt, dass einige wie glühende Kohlen, andere aber blass wie Leichname aussahen; dieses Letztere galt besonders den Dirnen von 16 bis 19 Jahren, welche jenes hitzige Getränk wohl nur aus Gefälligkeit für ihre Burschen so häufig genossen, ohne die schädlichen Folgen zu ahnen. Wein war nicht zu bekommen, und unter den Leckerbissen und seltenen Kostbarkeiten der Tafel musste man ja nichts anders verstehen, als – Bocks- und junges Schweinfleisch, dem semmelähnliches halbweißes Brot das Noble gab. Man hätte dieses Fest füglich einen Bocksfleischkirchtag nennen können, wenn anders dieser Ausdruck in Tirol etwas Seltenes oder Lächerliches wäre.

Neugierde scheint den Zillertaler mehr als gewöhnlich zu reizen. Ich hatte kaum Platz genommen, so umfingen mich augenblicklich zwanzig Bauern, frugen mich ironisch, ob ich aus Baiern käme, lustige Menschen zu finden, wer ich sei ec.? Für einen Wiener wollten sie mich durchaus nicht halten und maßen mich fortwährend mit scheelen Blicken. Als ich aber darauf bestand, nahm einer das Wort: »du muascht an sakrisch guaten Poass hom, wonst so roas'n tuascht über d' Staigl und Olma, bischt etwo gor a Spion?« Ich sah, der misstrauischen Leute Vertrauen zu gewinnen, mich genötigt, den Pass auszukramen und ihn dem Ältesten einzuhändigen. Mit viel bedeutender Miene studierte er die Petschaften [Stempel] der Polizeibehörden und Kreisämter, und gab ihn dann einem Zweiten und Dritten usw. zur Prüfung, der Letzte stellte selben mit einer Art Ehrfurcht zurück und bemerkte: »der Poass« wäre sehr gut, lesen könnten sie ihn zwar nicht, aber die »sakrisch vielen Zoachen« darauf bewiesen, dass ich überall herumreisen könnte. Ich hatte Mühe, das Lachen zu verbeißen, musste mich aber bald mit ihrer Unkenntnis aussöhnen, als sie einer um den andern vom Tanze zu mir eilten und mit biederem Handdrucke einen Schluck von ihrem Getränke auf »Gut und Blut« anzunehmen baten.

Von Wien wollten alle so viel und mancherlei wissen »vom gueten Koaser Franzl, Herzog Hannes«, von guter Zukunft und dergleichen, dass ich bei teilweiser Befriedigung eine bedeutendere Ermattung durch Diskurs befürchtete, als nach etwa achtmeiliger Wanderung! Endlich kam ein alter Tabakraucher, nahm mich vertraulich bei der Hand und sprach: »Es freue ihn, auch mir ein Vergnügen machen zu können, ich hätte ihn so unterhalten, dass er zum Danke seine (er zeigte auf zwei muntere Dirnen) Kinder aufgefordert habe, mit mir so lang ich wolle zu tanzen. Ich dankte für diese Gutherzigkeit, die mich für einen Korb oder Händelsucht eifersüchtiger Liebhaber, welche bei Kirchtagen so häufig ihre blutige Rolle spielen, sicherte; schützte aber meine Ermüdung vor, welche mich hindere, an dem Tanze teil zu nehmen.

Komisch war mir die Art, wie hier die Bettler befriediget werden: Da man ihnen selten Geld gibt, so tragen sie zwei Hefen (Töpfe) mit sich, und da werden die gereichten Stücke Fleisch, Brot und Zugemüse in das eine und ihr bekommenes Bier- und Branntwein-Getränk in das andere Hefen getan. Nun hatte aber ein solch tätiger Sammler vielleicht das Erstere schon voll, und da ihm der angesprochene Bauer abermals ein Stück glühendheißes Bocksfleisch reichte, wechselte er es, nachdem der Biertopf auf die Erde gesetzt wurde, aus einer Hand in die andere unter beständigem »Vergelts Gott« bis der Schmerz ihn übermannte und er mit einem Schrei das brennende Stück auf den Tisch der Bauern hinzuwerfen strebte, fehlgetroffen es aber vergebens am Boden einem schnellen Hunde abjagen wollte und noch überdies dabei seinen Biertopf zertrat. Die verzogenen Gesichter und Gruppierungen der Spender und des erbosten Empfängers hätte man füglich als künstlich entworfenes Tableau [»Da haben wir die Bescherung«] belachen können.

Kirchweihfest.

Zwei hochstämmige Burschen mit Schnurrbärten erdrangen sich jetzt Sitze an meinem Tische; ihre Dirnen bewunderten deren errungene Preise des Bestschießens und Kegelns. Ein Haushahn, welcher angebunden auf 200 Schritte durch Kugel erlegt wurde und mit sechs Kaisertalern den Hauptschuss lohnte, erweckte den Neid vorzüglich eines nebenan sitzenden alten Bauern, welcher dem Schützenhelden zwar Glück wünschte, sich aber vorzüglich um den Preiserfolg seines

Buben beim Treffen erkundigte. Sie wussten ihm nichts zu sagen, er konnte seinen Unwillen brummend nicht verbergen und rutschte unwillig auf der Bank umher. Nun aber trat ein riesenhafter Mann von beiläufig 26 Jahren mit tiefem Bücken zur kleinen Tür herein; das Gewehr traurig in der Hand, wollte er sich Bier geben lassen. »Do trink Kospa! bischt oaml do?« begann der Alte, »sog wosch hoscht denn g'wungen?« Noch trauriger wurde der Befragte und blieb die Antwort schuldig. »Bischt ma a saubersch Biabal!« schrie zornig der Vater, »schiassn konnscht nit, in d' Schon werfn a nit, so a Biabl kann i a sei«. Es duldete ihn nicht länger, er machte sich auf und verließ die Stube; mich aber interessierte der Gedanke: nun einmal einen, nicht mit Schimpfnamen bezeichneten Buben zu sehen, welcher an Größe dem heiligen Christoph ähnlich, seine Körperkraft drei gewöhnlichen Männern entgegen bieten könnte.

Später, als des Getränkes geistige Wirkung sich fühlbarer aller Sinne bemächtigte, entkeimten die Kraft-Bravouren; Der trug drei, jener vier Gefährten, trotz Sträuben zur Türe hinaus. Bei Hebung eines großen Steines entquoll einem das Blut aus Mund und Nase. Faustdrängen und Hackenziehen nahm kein Ende, Letzteres strengte sie so sehr an, dass mehreren beim schmerzlichsten Zusammendrängen der Finger das Blut zwischen den Nägeln vorquoll und zweien sogar Finger ausgekegelt wurden.

Überzeugt, dass der Abend und die Nacht gleich tumultuarisch verfließen würde und daher auf Ruhe nicht zu denken wäre, packte ich meine Wenigkeit zusammen und wanderte in Begleitung mehrerer Bauern, welche ebenfalls das Kirchweihfest zu Genüge empfunden und nun nach Hause strebten, im Zillertale aufwärts. Bewaldet, von vielen Gießbächen durchschnitten, reichen die Ausläufer der Voralpen – wie zu Gerlos – auch in dieses Tal herab. Der größere Zillerfluss und die häufigeren Wohnhäuschen bringen darein den wesentlichsten Unterschied.

Unter meinen Mitreisenden waren zwei bejahrte Männer, welche mit der silbernen Tapferkeits-Medaille von der Landesverteidigung 1809 geschmückt, mir die Gegend um Steinach und des Sillflusses, dann den

Berg Isel bei Innsbruck wohl zu beachten empfahlen; den Einen hatten dort merkliche Wunden auf Brust und Haupt geschmückt, dem Andern hatte der Heldentod dreier Söhne die bleibend schmerzliche Wunde ins Herz gefurcht. Sie frugen mich um den eigentlichen Zweck meiner mühvollen Wanderung über die Schneeberge ins Silltal? und als ich versicherte: »die Festungen und Schanzen der Schöpfung zu bewundern, welche Mut und Vaterlandsliebe gegen alle usurpierende Gewalttätigkeit mit ehrlichem Blute zu verteidigen wusste«, drückten sie mir die Hand und heiße Tränen in ihren feuerfangenden Augen bewiesen, dass jeder von ihnen bei ähnlichem Drang der Umstände zu wiederholter Aufopferung samt der seines Lebens für den guten Kaiser und eignen Ruhm freudigst bereit sei. Meine Liebe und Achtung hatte sich durch diese zwei Bewohner auf das ganze Tal ausgebreitet. Die armen Dörfchen Oede, Leimach [Laimach] und Hilpach [Hippach], welche alle an der Zill [Ziller] liegend, mit ihren unansehnlichen Häuschen und kleinen Fensterchen so viel Demut und Mutlosigkeit verraten, entwickelten sich in meiner Phantasie zu Feldherrn-Palästen, aus deren großen Fenstern man kaum die Siege der Nation übersehen kann.

Meine Begleiter verloren sich in den einzelnen Hütten der Gemeinden Mühlbach, Burgstall und Holenzen [Hollenzen]. Soviel der Abend erlaubte, sah ich, dass diese Talbewohner sich füglich als Stiefkinder der Ceres beklagen dürfen; Fleiß könnte man ihnen aber nicht absprechen. Denn, wo der Bauer kahle Berghöhen nur durch äußerste Anstrengung mittels hinaufgeschleppten Erdreiches urbar macht und wenn der nächste Gussregen jene bittere Arbeit, samt der darauf tröstenden Hoffnung einer kleinen Ernte, in das Tal niederschwemmt, die Herstellung seines Ackers durch belastete Butten aufs Neue beginnt: muss man das als Muster der Tätigkeit und Geduld bewundern und wünschen, dass endlich das Schicksal ermüde, diesem ausdauernden Menschenfleiße schadenfrohe Hindernisse entgegen zu werfen.

Den ausgedehnten

Markt Mayerhof [Mayrhofen],

welcher der Schlüssel und Trostplatz des Ziller-, Stilupp [Stilup]-, Zem
[Zemm]- und Duxer [Tuxer]- Haupttales, dann mittels dieser noch von
anderen sieben Nebentälern ist, wählte ich mir bei der vorgerückten
Nacht zum Erholungsort. Da ich der Vortrefflichkeit eines hiesigen
Wirtshauses vor dem anderen keinen bedeutenden Unterschied zutraute, so frug ich nicht um das beste – sondern um das nächste beste
derselben. Man wies mich an eines, dem die Außenseite so ziemlich den
Stempel des elendesten aufdrückte. Zum Schlafen schien mir jedes gut;
ich trat ein und konnte anfangs niemanden im erstickenden Tabaksdampf erkennen; bald aber sah ich, dass dieser den Imbiss und Haupt-
nahrungsstoff beim Biergetränke für acht Bauern ausmachte, welche
sich wunderten, dass ich nicht auch mit der Pfeife meinen Appetit stillte
und lieber den jungen Käs hinunter zu würgen beschloss.

Ich wünschte Lagerstroh, man bot mir aber Betten; zufrieden damit
folgte ich dem Wirte in eine stallähnliche Kammer, welche klein, niedrig,
mit lücken-ähnlichem Fenster eher das Ansehen eines Kerkers als
Gastzimmers besaß; zwei Betten sprachen darin die wohltätige Bestimmung aus. Eben entsetzte ich mich über die schlechte Wahl meiner
Nachtherberge, als mich der Wirt noch mit der lächerlichen Frage zu
necken schien, »ob denn der Hund auch gehörig reinlich wäre, dass ich
ihn über Nacht im Zimmer belasse?« »Wenn er da bleibt«, gab ich erbost
zur Antwort, »so geschieht es nur aus Anhänglichkeit für mich, sonst
würde sich das Tier gewiss einen andern Ort suchen.« Der Wirt schien
meine bittere Bemerkung nicht zu fühlen, wünschte gute Ruhe und
ging. Kaum, dass er die Türe hinter sich verriegelte, so war auch schon
das Stückchen Kerzendocht ausgebrannt; ich rief – vergebens! – In der
Finsternis umhertappend, fand ich endlich doch meine Ledertasche und
benützte die gehörigen Feuerrequisiten, um mir beim Lichte das Bett
zu besehen. Wie erstaunte ich aber, als ich auf dem großen Leinentuche
und denen Pölstern große Blutflecken erkannte; das andere Bett hatte

noch häufigere Schreckensmerkmale aufzuweisen; ich hob in banger Ahnung den Strohsack, und sieh! ein altes Beinkleid und Jacke war unter demselben verborgen. Nun hatte ich genug! Hinaus zu entkommen, war vergebens, weil die Tür vom Wirte ohne meine Widerrede verschlossen wurde; das Fenster, ja dieses konnte mich retten; ich öffnete es – o weh! Ein großer Holzstoß hatte unzubesiegendes Bollwerk vor dasselbe gefestet.

Überlegend, ob ich im Stande wäre, aus diesem einzelnen Hause die Hilfe der Nachbarn aufzufordern oder ob das Rufen desto gewisser zu meinem Untergange beitrage, hörte ich deutlich nebenan Gelächter tiefer Bassstimmen. Ich hatte mich vorher um das Lokal nicht sonderlich bekümmert, glaubte aber auf jeden Fall die obgenannten acht fürchterlichen Tabakschmaucher, welche vermutlich nebst Wilddieberei auch andere Jagden sich erlauben, als Schlafnachbarn zu verspüren. In der untersuchten Bretterwand überraschte mich eine kleine Tür; sie öffnend, trat ich in ein noch tieferes Gemach als das meinige gewesen. Alle Einrichtung, welche darin vorfindig war, bestand außer einem verrosteten französischen Kavallerie Pallasch [breiter Hieb- und Stichdegen] – in lauter Essmaterialien: Erdäpfel, Butter, Käse, schwarzes Mehl, drei geselchte Schinken und ein Fässchen mit Essig warteten auf Ablösung. Dies beruhigte mich; ich erkannte in dem behutsamen Zusperren meines Zimmers des Wirtes nicht zu tadelnde Misstrauen, vor unbekannten Fremden sein Eigentum zu verwahren; der Säbel, welcher nur mit äußerster Anstrengung aus der Scheide ging, zeigte nicht minder des Besitzers friedliebende Gesinnung; aber das Blut, dieser verdammte Warner, machte mir gleichwohl etwas bange. Ich war zu matt, die ganze Nacht wachend zu verbleiben und konnte mir auch nicht diese Möglichkeit vergewissern; heftete daher den bewährten Duna mit der Schnur an meinen Fuß und warf mich angezogen aufs Bette, bei der geringsten Spur von des Hundes Wachsamkeit, die wohlvorbereiteten Waffen zu gebrauchen. Die brennende Wachskerze stellte ich in die halbgeleerte Wasserflasche, um Unglück durch eigene Schuld nicht zu erzeugen.

Ich mochte einige Stunden geschlafen haben, da rüttelte mich fürchterlicher Schmerz aus der unbehaglichen Ruhe. Ich fühlte mein Gesicht, Leib und Hände brennen; es waren die verdammten Zecken, Schafkäfer, Achtfüßler und sonstige Ungeziefer, welche meinen Körper zu zergeißeln die Grausamkeit hatten und dieselbe vermehrten, je häufiger ich die Unholde unwissend zerdrückte. Ich leuchtete umher, der ganze Boden war feucht und hohl und die ergiebigste Kolonie für Unken, während die Käfer vom nahen Schafstalle oder angehäuften Häuten am Dachboden ihren Ursprung zu entlehnen schienen. Noch nie solche Quälgeister empfunden, war ich tätigst besorgt, sie schleunig zu bannen und den Ort, wenn auch die grässlichere Meinung davon schwand, wegen der allenthalben sich aufdringenden Unreinlichkeit zu verlassen.

Mein Klopfen und Rufen wollte niemand hören, ich musste, am Sessel sitzend, noch zwei Stunden abwarten, bis mit exorbitantem Gähnen der Wirt mich dieser Marterkammer entließ. Auf seine Frage wegen des zeitlichen Aufstehens, musste ich ihm die Unreinlichkeit der Behausung und die Tollheit, mich einzusperren, vorhalten. Wider Vermuten beteuerte er äußerst grob, solche Gäste gar nicht zu benötigen, welche wegen einiger Groschen das ganze Haus geblankt haben wollen und nachts mit lästigem Lärmen alle Einwohner wecken; die Betten seien unlängst erst überzogen worden, und wenn auch das eine von Nasenblutstropfen befleckt wäre, so brauchte ich nicht gerade dasselbe zu benützen.

Ich wollte den Streit nicht heftiger beginnen und ging, jeden Reisenden in Vorhinein bedauernd, der in dieser Baracke Erholung sucht. Da es erst vier Uhr war, hätte mich leicht der schlangenförmige Pfad in der Finsternis irre leiten können; allein der Zufall wollte, dass ich gestern noch mich um Lage und Straße nach Finkenberg erkundigte und so die drei Täler mit ihren herausströmenden Bächen Zill, Stillupp und Zem links lassend, dem

Duxertale [Tuxertal]

entgegen wanderte.

Ein Herbstmorgen in Alpentälern ist etwas ganz Besonderes; man kann ihn studieren und vergleichen und kämpft sich sobald nicht heraus. Kahl und ernst stehen die hohen Berge sich gegenüber; sie scheinen losbrechen zu wollen über das tiefe Tal, dessen brausendes Murren aus den beflügelten Bächen sie erbittert. Schon schneiden sich schärfer ihre drohenden Formen aus, schon zittert der Wanderer für die Möglichkeit, ihre steilen Wände zu besiegen; da blendet eine Nebelwolke die gefährlichsten Stellen der Stolzen; weiter und tiefer dehnt sich der Schleier, und kleine Inseln vom grünen Gezweige und braune Felsenkegel erübrigen nur, um Zeugen der Bezähmung ihrer starken Familie zu sein.

Jetzt öffnet der Bach seinen verborgenen Schatz; auf steigen daraus die Dünste des Morgens dem kalten Beete, schlagen sich wie Meereswogen über die Wipfel der Bäume und wälzen an den Wänden zu den Wolken sich hinauf, um mit den Dünsten des Himmels in Verwandtschaft zu treten und auf den Zinnen der Alpen die Vermählung zu feiern. Verändert ist die Welt, entschwunden der Reiz und die Sorge des Wanderers, er hoffet und fürchtet zugleich, die riesigen Zeugen der Ewigkeit längst hinter sich zu haben und eine unbegrenzte Fläche bei Sonneneindrang zu ersehen. Vergeblich blickt er um Aufklärung; verschlossen, wie alle Zukunft, weilt sie, den Sterblichen mit Geduld zu waffnen, die ungewisse Bescherung ihm erträglich zu machen. Doch endlich, wie die Nebel sich einzeln ihre Plätze errangen, ziehen sie wieder ungeordnet zur wohltuenden Bestimmung; der Schöpfer nimmt sie auf unter die Wolken des gesegneten Regens oder weist ihnen den jungen Tag an, auf der Erde ihr sanftes Grab zu bereiten.

Die Welt wächst, höher und höher umfängt sie den Pilger, wie die Nebel schwinden; er bleibt der vorige, er bleibe es immer! Kein wolkentrüber Augenblick drücke ihn nieder zum Kleinmute, um ihn bei des Glückes Sonnenblicken empor zu schwingen zu des Hochmuts und Stolzes großtuendem Wahn. Während diesem Dekorationenspiel des kämpfenden Morgens hatte ich das heitere Dörfchen Finkenberg nach anderthalb Stunden zurückgelegt; ausgesöhnt mit dem schwächer gewordenen Duxerbache, zog nun der Gangsteig vertraulich an seinen Ufern aufwärts. Hüttchen mit kleinen Wiesen und Ackerflecken, rechts wie auf einem Schachbrette sich kreuzend, spielten in eben dem Grade die sanfte Idylle: als links auf schroffen Berghöhen die finsteren Wälder und rings sie umzingelnden Schneealpen das ernste Epos herabsprachen. Ich fühlte mich dermaßen froh und aufgeräumt, dass ich diesen holperig elenden Saumweg mehr tanzend als kletternd in einer Stunde zurücklegte und nie wahrhafter den Entgang eines mitgenießenden Freundes beklagte, als jetzt, wo jede Wendung des Weges neue Seltenheiten zum Jubel bot.

Bei Duxer-Eck fällt vom Lachtelberge durch grüne Talschlucht ein namenloses Bächlein in den Hauptbach, sorglos um die kurze Freiheit, unterhält es in derselben zum eigenen Ruhme eine herrliche Kaskade. In der kleinen Gemeinde Zettach [?] suchte ich einen Führer über die Eisspitzen und Schneeberge ins Silltal [Wipptal]; aber zu meinem Verdrusse schienen oder wollten diese Bergkundigen von keinem anderen Wege was wissen – als über den Nürpner-Schneekopf, und dann durchs Wörer-Tal am Bache nach Wör [Weer] ins Inntal. Mit dem Frühstücke sah es eben so schlecht aus; ich musste mich in beiden auf

Lanerbach [Lanersbach]

vertrösten. Dieses Dorf, wenn es auch von allen Glücksgütern der Erde weit geschieden ist und häufiger von Gießbächen, Schlossen und Schneelawinen als von milden Sonnenblicken heimgesucht wird: stimmt doch den Fremden zu stiller Bewunderung und entlockt ihm den Wunsch, hier einige Tage zu verleben. Eingeschlossen, wie von den Wänden des Plutus, drängen sich die reinlichen Häuschen zum Bache, um durch diesen reisenden Dolmetsch mit der lebenden Außenwelt noch im Verkehr zu bleiben. Kein Gesicht, kein Kopfhängen, klagt über das Unglück der Abgeschiedenheit; man fühlt sich genug begünstigt, dass unter den wenigen Nachbarn, weder Wölfe – Schafshüllen borgen, noch Kunstwörter Pfeile spitzen; und das Aussehen! – Voll und gesund gleicht der Mann den einstigen Heroen Germaniens, welche die Weichlichkeit mit dem entnervten Römer zugleich zertraten; das Weib aber prahlt mit der Gesundheit auf ihrem Antlitz, wenn es auch schon die Kreuze der Jahre durchzogen; sie schämt sich derselben nicht, denn wackere Töchter bestätigen der geachteten Mutter ungeschwächte Jugend und das Verlangen, ihr ähnlich zu werden. Alle Achtung zollte ich dem Duxer-Tale, und ich wünschte, dass so mancher Jüngling, welchen sein reicher Vater nach Paris und London schickte – Sitten und Lebensart zu lernen, statt dessen sich hierher verirrt hätte; alle eitlen Mütter aber, die ihre koketten Töchter nicht genug von Marchandemoden verbiegen lassen können, in Lanerbach Toilette machen ließen, und die späteren Jahre würden mir für diesen Rat Dank bringen.

Gesang und Jubel, aber nicht durch Getränk erzwungen, tönte von Höhen und Tälern zu mir; ich frug um das Wirtshaus – stand dabei und wusste es nicht! Still und klein, wie die Bescheidenheit, schien es nur da zu sein, um dem Dorfe sein Gerechtsam nicht zu entziehen.

Der Wirt, mehr Hausvater, als Knecht des Lyäus [Beiname des Dionysos, Gott des Weines], war außen beschäftigt, mit dem Spaten einen widerspenstigen Acker zu bekämpfen – wie überhaupt in mehreren Tälern Tirols auf den ungemein steilen Berghöhen weder Pferde noch Ochsen vor den Pflug gespannt werden können, sondern derselbe durch Menschenhände allein ersetzt werden muss; seine Sprösslinge, für die er sich herzhafter mühte, halfen ihm dabei, um ihre zarten Muskeln zu stärken, zur einstigen Überhebung des schwach gewordenen Vaters. Die Mutter bedauerte, dass im ganzen Hause zum Imbiss für einen so seltenen Gast nichts Gehöriges aufgebracht werden könne; jedoch sollte ich unterdessen mit Bier, Schnaps, Käse und dürrem Schwarzbrote mich begnügen, ihr Mann würde schon zu etwas Besserem Rat wissen.

Fort lief sie, als hinge von meiner Zufriedenheit das Heil ihres Hauses ab; ich war allein, allein in der Wohnung, wo unverschlossen mir alle kleine Habe der Familie anvertraut wurde. O wie wohltuend schmeichelt dem Menschen seiner Mitbrüder Zutrauen! Wie unvergesslich wurzelt es, weil es so selten ist! Möget ihr nie diese Tugend durch höllischen Verrat büßen!

Nach einer halben Stunde kamen meine Wirtsleute zurück; ich habe noch von keinem Tiroler das Du lieber angenommen als von diesem ehrlichen Kopfe; er setzte sich zu mir, frug um Neuigkeiten, prüfte und lobte mein Gewehr und zeigte dann, wie seine Buben schon dasselbe zu schwingen vermöchten. Angenehmes Staunen fesselte mich, als ich plötzlich die Wirtin mit einer großen Schüssel schön gesottener Forellen und einer andern voll Milchsuppe zum Tisch hüpfen sah. »Dies sei alles, was ich für jetzt ansprechen könne (lautete die wohlklingende Einladung), sollte ich aber länger verweilen, so käme es nicht zum Verhungern!«

Besser als jeder Prasserschmaus behagte mir dieses unerwartete Frühstück, das, ich vermutete es, auch mein Mittagsmahl ausmachte. Die Zeche, welche ich, wenn auch übergroß, gerne vergessen hätte, musste ich wider Willen so gering berechnet sehen, dass mir einen Augenblick bange wurde, wie ich dem seltenen Manne ohne Beleidigung meine Erkenntlichkeit beweisen könnte.

Sein Junge führte mich unter lauten Glückswünschen der braven Eltern zu einem einzelnen Hause, worin der aller Gebirgswege kundige Wegweiser wohnte. Ich sehe mich aus Dankbarkeit genötiget, dessen Namen und nähere Schilderung zu übergehen, weil er trotz seiner hinlänglich bewiesenen Treue und Ehrlichkeit für meine Person, doch andern Lockungen nicht so enthaltsam und lobenswert widerstand. Nebst Bergstock und Steigeisen nahm er ein wohl erhaltenes Gewehr mit, um nach seiner Äußerung, vielleicht einen Raubvogel zu pelzen. Da er mich überredete, nach Sterzing und Passeier nicht den lästigen Weg einzuschlagen, über Juns Moos durchs heitere Duxer-Tal längs des Schneetauern [?], sonach abwärts gegen Toldern am Schmirnerbache auf Staflach, wegen der sofort überlangen Strecke durchs Sill- und übern Prenner [Brenner] dann ins Eisak[Eisack]tal; so unterzog ich mich seinem Willen, zum Rückweg nach Finkenberg; wonach wir vom Zemtale aus die Wanderung beginnen und auf Plätze kommen sollten, welche ebenso wohl schöne Alpen-Ansichten als notorische Merkwürdigkeiten aufzuweisen hätten; dass dafür steilere Steigeln drohten, wurde lässig verschwiegen.

Es mochten kaum anderthalb Stunden verflossen sein, als wir im

Zemtale [Zemmgrund]

uns befanden. Wenn dieser Name auf den wenigsten älteren Karten steht und Millionen von seiner Existenz gar nichts wissen, so glaube ich dieses damit zu entschuldigen: dass die Menschen große Länderstrecken, welche abgeschieden und verlassen keinen Nutzen versprechen, auch nicht als bestehend betrachten; nur die höchsten Gletscher und Eisferner, als außerordentliche Gegenstände, machen darin eine Ausnahme.

Ginzling.

Das Zemtal, welches auf einer Länge von vier Stunden, nicht so viele Wohnhäuser zählt, besitzt (vielleicht Alpenwiesen ausgenommen) auch nicht ein Joch fruchtbaren Ackergrundes. Die ewigen Eisberge, deren niedrigere Ausläufer ins Tal hie und da einen dürftigen Nadelwald nähren, machen in Tirol keine Seltenheit; die steilen Felsen sind zu karg, etwas anderes als tobende Gießbäche durchzulassen; Flächen, welche das Wasser in der Ebene zum gewöhnlichen Beete nicht bedarf, decken boshaft dessen mitgeführte Steine, die es bei Gussregen den hohen Wänden entriss. Wahrhaftig! hier könnte der emsigste Ansiedler außer Steinen, Holz und Wasser nichts erzwingen! Aus einem engen Tale zur Linken stürzt der Floitenbach; zwei Brücken über ihn und den älteren Zembach nahe beisammen geschlagen, sind die einzigen Zeugen, dass auch hier, in dem abgestorbensten Winkel, die rege Menschenhand wirkte.

Nun wandert man fortwährend am linken Ufer der immer kleiner aber widerspenstiger werdenden Nymphe, leere Hüttchen und Gangsteige deuten auf die mutmaßliche Anlage einiger Sennereien, welche in den Schluchten ihren Nutzen finden mögen; aber kein Peitschenknall, kein Gebrüll oder Glockengeläute sichert die Meinung. Immer steiler und gefährlicher wird das Klettern; wir mussten uns mit Steigeisen bewaffnen, dem feindlichen Pfade nicht zu erliegen. Der Zemerund Zamserbach laufen hier zusammen, sie spielen mit eigenem Beifall die Meisterrollen auf dieser nie besuchten Bühne, weil kein Dritter es wagt, zwischen ihnen als Gast aufzutreten. Einiges Krummholz wuchert auf den Wänden des Zamserbaches, dessen Uferbeete wir nun aufwärts folgen sollten, wenn mein Führer nicht andere Spekulationen gebrütet hätte. Schon bettete sich Schnee zu unseren Füßen, schon grinsten die Gespensthäupter der zahlreichen Ferner (ist in Tirol eine Benennung der höchsten, ewig mit Eis und Schnee betürmten Alpen) über die grünere Bergwelt, als mein Begleiter für gut fand, nach der vierstündigen Wanderung etwas zu rasten und den mitgenommenen Schnaps- und Brotvorrat als Stärkung zu verzehren. Mir war dies sehr erwünscht, da ich weiter wie er heute hergekommen, meine Ermattung kaum mehr zu bekämpfen vermochte. Der bleiche Stein, welcher uns beiden zu Sitzen und Tafel diente, war mit drei großen Flecken von Schießpulver geschwärzt. Dies war nach meines Führers Aussage ein Zeichen, dass Jäger-Nachstellungen für die Raubschützen zu befürchten wären; ein Kamerad pflege die Anderen, welche auf diesem Wege gemeiniglich ihrer Erbsünde, der Wilddieberei, nachgehen, bei sicherer Erfahrung zu warnen; doch sei solche Markierung bisweilen eine List, sich mehrerer Mitschützen durch Furcht zu entledigen und die gehoffte Beute leichter und ungeteilt für sich allein zu gewinnen.

Alpenwanderung.

Finsterer breitet sich jetzt allmählig das Dunkel aufs harrende Tal. Apollo's ätherisches Licht scheint nicht hinabreichen zu können durch die Pyramiden von Alpen und lange Verhaue der Wälder, auf die gepresste Kluft. Man bedauert und vergisst sie, weil man ängstlicher fürchtet, durch Vorwürfe des Sonnengottes Zorn zu reizen auf den ihm huldigenden Alpen. Es war Zeit zum Aufbruch. Wir folgten noch eine mäßige Strecke dem Bache aufwärts, der jetzt brüllend die Sprache der Freiheit führte und durch kühne Sätze beinahe eine ununterbrochene Kaskade bildete. Man sah keinen Weg, frischer Schnee und Steingerölle machte fortwährend unseren feindlichen Widersacher; der Führer bemerkte nach meiner deshalbigen Klage, dass es noch viel schlimmer kommen werde; die Jahreszeit sei schon zu weit vorgerückt, der junge Schnee wäre untragbar und habe weiter oben vermutlich den Bach gehemmt, wo wir dann teilweise durchwaten oder glatte Wände übersteigen müssten; wollte ich mich aber gleich einer kleinen Anstrengung unterziehen, so könnten wir auf der Höhenwand die von Sonnenglut und Frost ewig gefesteten Schneedecken gefahrlos überschreiten. War es wirklich so, oder ließ ihn der vermutete Erfolg diese Finte ersinnen; kurz, ich musste mich entschließen, links eine Felsenmauer zu besiegen, so schroff und drohend, dass mir beim Gedanken, sie zu überklettern, der Atem stockte. Ohne viel Umstände schleppte aber der Führer meine Tasche mit allen Habseligkeiten und Geldvorrat über die Spitzen und Abhänge hinauf, und ich folgte dem Köder, getröstet, dass wir solchen verwünschten Weg nicht abwärts wählen sollten, wo ich gewiss verunglückt wäre. Das Gestein war fest, nahm jedoch kein Ende, wir mussten bisweilen ausruhen auf den vorragenden Kanten, wo nur die Zehenspitzen Platz fanden, indes der Fußballen frei über dem Abgrunde schwebte; ich wagte nicht, hinabzuschauen, meinem geängstigten Hunde Mut zuzusprechen, der winselnd sein Nichtweiterkommen klagte. Wie Duna nachkam, weiß ich nicht, aber er stand neben mir, als von Angst und Anstrengung schwitzend, ich oben auf dem Schmollkar ausrastete; die perpendikuläre [senkrechte] Höhe dieser Wand, welche ein Ausläufer des gewaltigen Fustschlag-Ferners [Schlegeis-Ferner?] ist, möge über 200 Klafter betragen.

Mein Mentor deutete gegen Westen auf eine längliche Schneewölbung; dies sei die Prennerspitze [Brennerspitze], versicherte er, man könne bei heiterem Tage deutlich die Landesvermessungs-Pyramide darauf ausnehmen; die Poststraße überlaufe nur seinen niedrigsten Rücken (4160 Fuß über dem mittelländischen Meere), der unserem Standpunkte schon weit untergeordnet wäre. Kaum, dass noch ein kleiner See sich zu verraten Zeit hatte, schloss die Unterwelt ihre Hallen und Geheimnisse; denn bald hatte uns ein Wolkenschleier umhüllt, der, obgleich lästig, doch nicht gefährlich schien, so lange wir auf dem erträglichen Felsrücken fortschritten. Nun aber hieß es wieder empor, über Felsen und Schneefelder, die seltsam genug aussahen, im Nebel passiert zu werden, und welcher, je tiefer wir im erweichten Schnee fortackerten, desto zutraulicher uns zu umstricken schien, ohne dass die fühlbare Sonnenglut selben zu durchdringen vermochte. Mir wurde allmählich etwas bange wegen der Abgründe und mutmaßlichen Irrwege auf dieser Scheidewand des Himmels und der Erde. Immer kleiner – auf einige Klafter wurde die Grenze unseres sichtlichen Wirkungskreises beschränkt, und von allem anderen nahm das graue Land der Ewigkeit Besitz. Um so weniger konnte ich aus meinem Führer klug werden, der eine zunehmend fröhlichere Miene zeigte, je dichter sich die Wolkenballen um unsere Füße schlugen; er bat mich, nicht zu murren, indem er den Weg so gut wisse, wie von seiner Hütte ins Wirtshaus.

Zum Erstaunen versicherte er, dass unbezweifelt links (oder südlich) nebst dem Fustschlag- der Mösele- und Weiß-Lint-Ferner und die Hochfeil-Spitze, rechts der Stampfl - Alpeiner- und Duxer-Ferner mit der gefrornen Wand, vor uns die Alpenspitzen des wilden Kreuzes, Wurmauls, der Norn- und Grobwand und hinter uns das Ingentkar aufstiegen.

Bisweilige Durchrisse des Nebels wiesen in der Tat auf jenen bezeichneten Stellen hoch überragende Alpenkegel, denen ich auch bei dieser Bewährung den vorhergesagten Namen zutraute.

Wir mussten sonach links abermals eine halsbrecherische Wand des Fustschlag-Ferners auf Händ und Füßen überklettern, um rechts einer schauerlichen Kluft, in welcher aus geschmolzenen Schnee der Zamserbach sein Gewässer für das gleichnamige Tal sammelt, auszuweichen. Still feierten die Dryaden die Geburt dieser Nymphe, welche zu zart und bescheiden war, mit Getöse zu erscheinen; desto sicherer aber würde sie den Unvorsichtigen zerschmettern, welcher zu kühn ihrer Wiege sich nahete.

Einen anschaulichen Begriff von solcher Gefahr lieferte nunmehr unsere Wanderung; ich glaubte sicher zu treten, und dennoch erschreckte mich das krachende Bersten der unter dem lockeren Schnee ausgebreiteten Eisdecke, auf welcher wir zwar manche Untiefen brückenähnlich übersetzten, wenn aber durch unsere Schwere bisweilen die hohle Masse brach, blaugrüne Schlünde zwischen den Rissen heraufgähnten, alles zu verschlingen. Der lange Bergstock ist bei solcher Gelegenheit von größtem Wert, man prüft damit die Oberfläche und überschwingt sich eben mit diesem bei deren Unverlässlichkeit. Gewöhnlich trägt man denselben in der Mitte anfassend in horizontaler Richtung, um bei unverhofftem Sturze in die tiefe Kluft, an dem krampfhaft umfassten Stocke eine rettende Spreize zu haben.

Dünner wurden die Nebel; der Führer, noch immer mit meinem Gepäcke belastet, wünschte, obgleich wir einer dem andern mit schlechtem Beispiele vorangingen und bedeutende Strecken hinabrutschten, noch schneller zu eilen auf dem mehr Luft- als Erdpfade. Ich erkundigte mich um die Ursache dieser gefährlichen Fluchtreise, welche meine Kräfte bis zum Niedersinken schwächte, konnte aber, außer seiner Bitte um Stillschweigen, nichts erfahren.

Gemsenjagd.

Jetzt hatten wir eine Felsenscharte erklommen, undeutlich waren noch die schroffen Umrisse derselben; der Führer legte meine Jagdtasche ab und bat, ihm zu wahrscheinlichem Glücke den Gefallen zu erweisen, nach einem Fingerpfiff meine beiden Läufe auszuschießen.

Ich war nunmehr von der ausgedachten Spekulation einer Wilddieberei überzeugt, sie konnte vielleicht fehlschlagen; weigerte ich mich aber, seinem Ansinnen zu entsprechen, so hätte er Rache nehmend, in den bekannten Felsenschluchten sich schnell fortbegeben und mich in der umnebelten Alpenwüste zurücklassen können, um keiner geringeren – als Lebens-Gefahr mich preiszugeben.

Er verlor sich auf den hohen Felsenzacken; ich behauptete den mir angewiesenen Wachposten mit ähnlichem Herzpochen eines Rekruten, der zum ersten Mal als Plänkler den Feind angreifen soll.

Lange harrte ich auf den Signalpfiff; endlich erscholl er, und Donner verkündigte meiner Läufe Entladung; bald darauf krachte es jenseits über der Alpenwand. Noch wiederholten sich die schneeigen Klüfte die seltenen Töne, noch rauschten abrollende Steine gegenüber, als ich den Erfolg zu wissen, ebenfalls der vom Führer erstiegenen Wand zueilte. Aber es war unmöglich da fortzukommen; mit Bastionen und Laufgräben schien die Schöpfung hier alles Weiterschreiten versagt zu haben, und die dunstige Atmosphäre zeigte kein heimliches Pförtchen, günstiger auf die Felsenfestung zu gelangen.

Weitere Beratschlagung hob des Wildjägers Ruf, welcher zurückgekehrt mich bereits bei dem verabredeten Plätzchen vermisste. Als ich hinabkam, bat er um meinen Beistand, indem er den wohlgetroffenen Gemsenbock schwerlich aus schroffer Kluft allein holen könne, und überdies frische Spuren im Schnee, die schon heutige Anwesenheit zweier Schützen bei diesem Wechselpunkte andeuteten und ihn desto mehr zur Eile zwängen, als dieser schöne Bock bei Rückkehr der Vorbenannten leicht blutige Auftritte bezwecken könnte.

Wenn man schon zu einer unerlaubten Handlung noch so unbedeutend mitwirkte, so führt diese immer die nachfolgenden größeren nach sich. Ich musste ihn nun in dem Vorhaben schnell unterstützen, um seine Nebenbuhler oder Feinde nicht auch mir auf den Hals zu laden. Wir umkletterten die Wand auf einige Tausend Schritte, da grinste von einem kahlen Felsenrücken zwischen zwei Spitzen ein tiefer Abgrund, in dem lag der Bock, welchen mein Begleiter in dem Augenblicke schoss, als die Gemsen von meinem Schießen jenseits aufgeschreckt, aus ihrem für Menschen unzugänglichen Sicherheitsorte dem ungesehenen Lauerer in den Schuss sprangen.

Warentransport auf schmalen Gebirgspfaden.

Den Stahlhaken meiner mitführenden starken Schnur fasste des Glücksjägers eine Hand, mit der andern benützte er die vorragenden Steine zu seinem Vorteile, indes ich von oben zeitweise immer einige Ellen nachließ, bis die Schnur erschöpft war und er dann in augenscheinlichster Lebensgefahr nur mittels der Steigeisen sich gänzlich hinab begab, zu meinem Entsetzen den Mund auf die triefende Kugelwunde der Gemse presste und geraume Zeit das warme Blut (Fasch) ohne Unterbrechung genoss; sodann band er die vielgeliebte Beute auf den Rücken und kletterte bis zum Schnurhaken behände empor, woran ich zuerst das Wild und sonach ihn heraufzog. Wie zum Danke bot er mir auch etwas von dem grässlichen Getränk, ich war verblüfft und konnte ihm nichts als meinen Abscheu dawider bezeugen. Er schien sich nicht daran zu kehren, hieß mich noch etwas gedulden, nahm um seine Nachfolger zu beirren, den vom Blute triefenden Bock und wanderte, damit die Fährte geflissentlich andeutend, eine weite Strecke über gewölbte Schneefelder gegen Süden bis auf einen Abhang von schneelosem Steingerölle. Dort verstopfte er die schon größtenteils verblutete Kugelwunde mit Werg, band sein Tuch über das vom Sturze beschädigte Haupt des Gemsenbockes, und kehrte dann verkehrt gehend mit gleicher Spur seiner vorigen Hinfußtritte darneben zurück. Sonach schien es, als wenn zwei Schützen von dieser Stelle mit der Beute gegen Pfunders oder Vals ins Pustertal hinabgewandert wären, statt dass wir in entgegengesetzter Richtung über kahle Felsen nordöstlich dem Pfitschertale zuwanderten.

Ich bewunderte die List und Schlauheit dieses Raubschützen-Genies, das mit dessen platter Erziehung in gar keinem Vergleiche stand. »Man könne sich nicht genug hüten«, bemerkte er, »dass einem die Steinacher und Hinterduxer den seltenen Gewinn nicht abjagen, indem die Gemsen schon sehr selten und ihre Nachsteller immer häufiger würden, überdies wäre solch ein schönes Stück schon seit langer Zeit nicht erlegt worden«. Ich fragte, wie hoch er dessen Wert anschlage? »Der Bart«, erwiderte er, »gelte unter Brüdern sechs baierische Gulden, Decke und Fleisch seien dasselbe im Kaufe. Um 12 Gulden Reichswährung also

Leben oder Freiheit zum Spiel setzen, ohne seine Pflichten und Familie zu bedenken! (Der Bart der Gemse ist aber nicht am Kopfteile, sondern am Heschen zu suchen und macht dann die wertvollste Hutzierde der Gebirgler aus.)

Ich konnte die Frage nicht unterdrücken, ob das Blut, welches er mit so vieler Gier getrunken, ebenfalls unter die Geldartikel zu setzen wäre? – Dies möchte mancher um den höchsten Preis an sich zu bringen suchen, behauptete er, wenn es nur möglich wäre, es Kranken frisch zu liefern; Schwindel und Frost ist dem unbekannt, welcher warmes Gemsenblut trinkt; glücklich wird immer der Schütze jagen, wenn er von jeder erlegten Gemse seinen Durst mit Blute gelöscht. Ich bezweifelte diese Versicherung und lobte als Gegenbeweis meine Schwindellosigkeit bei niemalig ähnlichem Trankgenuss. Treuherzig riet er, noch nicht zu jubeln, ich würde gewiss das Genick brechen, wenn jenes Wundergetränk ich verschmähend, noch lange auf Alpen mich herumtriebe. Diese Versicherung wäre mir an dem tragischen Orte ganz sonderbar vorgekommen, hätte ich sie nicht, gleich allen Vorurteilen der Bauern, lächerlich gefunden.

Etwas reiner wurde das Firmament, ich freute mich dessen; der Führer war jetzt auch damit zufrieden, indem es nur nicht früher eintraf, wo er sonst schwerlich sein Glück gemacht hätte. Missmutig entstieg ich allmählig einer Höhenwand nach der andern, ohne die gehoffte Übersicht genossen zu haben, der Tag war und blieb ungünstig für Alpenreisen. »Wo sind die Zinken, wo die Ferner und Eiszähne, welche wie Obelisken und Sarkophagen, wie Tempel und Triumphpforten der Schöpfung im diamantenen Schimmer auf diesen kolossalen Grundmauern sich reihen? – Sie schienen aufgezehrt von eitlen Dünsten, welche alles Herrliche anzugreifen, alles Schöne zu besudeln suchen, durch Verderben sich geltend zu machen!«

Mädchenmut.

Der steile Abhang führte uns bald an dem Beete des kaum gebornen Pfitscher-Baches an einigen Sennhütten vorbei, die aber bereits verlassen und mit Schnee gebleicht keinen freundlichen Willkomm verkündeten. Mein Begleiter machte mich dabei auf den Männermut der Tiroler-Dirnen aufmerksam. 1809 bei dem patriotischen Volkskriege des Landes gegen die aufgedrungenen Soldknechte, zog alles, was ein starkes Herz hatte, wider die verhassten Fremdlinge zu Felde. Die schwächeren Dirnen (denn die erwachsenen und Weiber schlossen sich an die männlichen Reihen zum Kampfe) wurden zur Hut des Viehes in die entlegeneren Gebirge beordert. Da geschah es denn, dass mehrere feindliche Freibeuter die Kunde von dem hier aufgestellten Horn- und Schafvieh für ihren Vorteil benützen wollten und wohlbewaffnet dieser Höhe zukletterten, Allein die sorgsamen Dirnen hatten ihre Posten eben so kühn als geschickt verteilt, und eh noch ein Mann als Sieger der kleinen Wiesenfläche nahte, hatte schon ein gewaltiger Steinregen die Räuber verwundet und in die Flucht gejagt.

In einem Felsenloche versteckte nun mein Führer seinen Raub und deckte ihn sorglichst mit Zweigen, Steinen und Schnee.

Ein Nadelwald, sich zusehends in seiner Vertiefung höher und enger bildend, duldete uns geraume Strecke auf seinem glatten Gangsteige, dann aber mussten wir den versiegten, an oder inner den Ufern des Baches wählen, der mit allen Zeichen des Übermutes uns bald von oben herab tüchtig nässte, bald zum Durchwaten aufs jenseitige Ufer zwang. Zwei schöne Kaskaden söhnten mich indes mit diesem Poltrone [Maulhelden] aus.

Wir waren bereits zum gewöhnlichen Gangsteig zurückgekehrt; mich wunderte der Abstand, jenseits im Zemtale [Zemmgrund] gar kein Wohnhaus, und hier, obgleich nur armselige Hüttchen, mit der Benennung Stein, Sand, St. Jakob, doch in gleich wilder Kluft angesiedelt zu sehen. Wenn nicht Viehstand diese Menschen ernährte, so wüsste ich nicht, wie jemand hier verzweifeln oder verhungern möge. Die Pfitsch stürzt nun über schroffe Felsen hinab, welche den Menschen die Mitreise verbieten. Der Umweg über die Höhe des Dörfchens Kematen brachte mir vortreffliche Milch zur Labung. Wir waren nun dem Prenner [Brenner] am nächsten gekommen und wanderten bereits auf seiner

Sonntag auf der Alm.

auslaufenden Arme unebenem Gebiete, über Widen nach Straßberg, wo wieder der obige Bach Reisegesellschafter wurde.

Hier beurlaubte sich mein Führer, er schlug meine Einladung eines guten Abendessens aus, um, was ich jedoch nimmer glaube, noch heute Lanerbach [Lanersbach] wieder zu erreichen. Wir hatten mit Inbegriff der Gemsenjagd zehn Stunden bei rüstigstem Marsche von Lanerbach bis Straßberg zugebracht. Nun war es 6 Uhr; wenn also mein Führer trotz Hunger und Ermüdung noch so sehr auf Schnelle pochte, so hätte er bei der späten Jahreszeit, nur im Mondenlichte die 6 und 7000 Fuß über der Meeresfläche erhabenen Alpen überschreiten müssen, was ich, selbst wenn er oben geboren und erzogen wäre, nicht möglich finde. Mag er was immer für Ursachen gehabt haben, sich mir zu entziehen, ich wünschte, dass er glücklich seinen Endzweck erreiche. Dieser arme Mensch, welcher um einige Gulden alles zu verlieren wagt, sträubte sich anfänglich, die von mir bedungenen 3 Gulden baierische Landmünze anzunehmen, weil, wie er bemerkte, ihm der heutige Tag ohnehin reichlich belohnt erschiene und ich, sein Gefährte, gar keinen Gewinn zöge. Ich verfolgte den schlechten aber unfehlbaren Gangsteig. Bäche, welche sich zwischen den einzelnen Häuschen von Straßberg, Wöhr und Wiesen auf der zweistündigen Strecke in die Pfitsch ergießen, hatten feste Brücken, damit das Vieh, von oder auf die Alpenweiden der Taleshöhen gelangend, nicht verunglücke. Von Wiesen kommt man in die kleine Ebene von

Sterzing,

auf welcher, das Moos genannt, 1809 Heldentaten der Tiroler spielten. Es war bereits Abend, dunkle Schatten zogen vom jenseitigen Telferberge ins Tal, Sterzings Glocken riefen zum Gebet, eingreifend sprach der Klang in die Täler und in mein Herz. Die Eisak [Eisack], das kleine Sterzing mitten durchdringend, strebte kräftiger jetzt, das prahlende Wort zu führen in der zunehmenden Stille; die kaum dem Prenner Entsprungene vergaß, dass auch ihre Fluten in dem Völkerkriege durch abgerollte Stämme und Felsenstücke, welche dem Feinde galten, im Lauf bezwungen wurden. Die Bergwerke Sterzings, obgleich gegen ehemals beträchtlich im Nutzen gesunken, machen die Stadt doch immer noch wohlhabend, was man zum Teile in den stark besuchten, mit guten Speisen und Trank versehenen Gasthäusern erkennt. Vorzüglich empfehlenswert wäre jenes zur Nelke (Naglwirt genannt). Gassen und Häuser führen zwar kein hochtrabendes Ansehen, dem ungeachtet kann man ihren Bewohnern eine gewisse Art Stolz, in Handlungen und Redensarten, vor anderen Tirolern nicht absprechen.

Zeitlichst verließ ich Sterzing, denn Passei ließ mich selbst auf dem vortrefflichen und lang entbehrten Flaumenlager nicht ruhen; in Wien verlobte ich mich schon dahin, und in seiner Nähe sollte ich zögern? Neben dem schäumenden Geilflusse, dessen zwei Hauptquellen vom Jaufen und hohen Ferner Grüße der sie aufnehmenden Eisack bringen, wanderte ich mäßig aufwärts.

Bei Telfes zerfällt der Fluss in zwei kleinere Arme, ich musste dem links herbeispringenden entgegensteigen, um übern

Jaufen

meinen Endzweck zu erreichen. Prächtige Tafeln von weiß und rotem Marmor bewiesen den Wert und Ertrag des nun erreichten Marktes Ratschinges [Ratschings].

Die zwei Stunden von Sterzing bis hierher sind recht angenehm zurückzulegen, der Weg ist sehr gut, und somit gewinnt auch des Tales minderer Reiz an Vorzug. Die Stunde nach Flading kostet Schweiß, weil der Jaufen sich allmählig anmeldet. Hätte man nicht schon genug Wasserfälle belobet, so wäre hier Stoff genug zu deren Bewunderung; klein und groß schwätzen sie zusammen, links in den waldigen Klüften der

Am Ende des Tales.

Enderstoder-Karspitze und neben dem Wanderer im Hauptbache.

Ich dung zu Flading einen Führer, weil ich auf der Jaufenhöh frischen Schnee vermutete, welcher den Gangsteig (wie ich auch bewährt fand) unerkenntlich gemacht habe. Dieser Bursche, glaube ich, war der traurigste aller Tiroler; ich würde ihn für krank gehalten haben, hätte er nicht so riesenmäßige Sätze vor mir gemacht; mein Befragen bekam einzelne Laute kaum zur Erwiderung. Die Gegend gewann zusehends an Erhabenheit, ich wollte mich den Schönheiten nicht so schnell entziehen und ließ meinen Merkur etwas gedulden; als ich aber wieder mein Fernrohr einpackte, war er bereits verschwunden. Mein Erstaunen wuchs eben so groß als betrübt. Der Junge war mir über zwei Stunden vorgeschritten, ohne einigen Lohn, und verließ mich, da ich ihn am nötigsten brauchte, an der Schneegrenze. Die Riesenbollwerke von Felsen, welche sich nach einer kurzen Waldstrecke um mich bauten, konnten nicht verhüten, dass ich allein den Weg fortsetzte; ihre Miene war das Drohendste, denn ich brauchte nicht einmal, um sicherer fortzukommen, Eisen anlegen. Gegen die Höhe zu wurde mir etwas bange, auf dem kahlen, von Schnee strotzenden Rücken die Richtung des Pfades zu verfehlen. Den Fußtritten eines Mannes trauend, verfolgte ich sie geraume Zeit, bis mich eine kleine Kaische, etwas von der Spitzgrenze des Jaufen, zu sich lockte. Fürwahr! wenn man auch nichts als Brot und Branntwein hier zu erwarten hat, so muss man den Bewohner achten, der weniger um den armseligen Gewinn, als der Menschlichkeit wegen sich hier aufopfert. Seine Wohnung möge höher als des gedehnten Prenners Posthaus liegen, und doch weilt er und Familie an keiner Hauptstraße, um wohlhabenden Reiselustigen die Entbehrungen des Lebens aufzurechnen; der selten besuchte Gangsteig bringt ihm häufiger die schöne Gelegenheit, Gutes zu üben, als selbes zu empfangen. Dafür ist aber auch sein kleines Eigentum ein geheiligtes, unangreifliches Gut allen Vorbeireisenden. Wie mag der Winter hier wüten, da jetzt (den 23. September) die ganze Umgebung unter Schnee lag; wie froh der Wanderer die warme Stube betritt, welche ihm den tötenden Frost wilder Stürme aus den Gliedern jagt und die Heimat zu erreichen erleichtert. Oft häuft sich der Schnee über das Häuschen; wochenlang sind dann die Bewohner allen Gefahren ausgesetzt. Menschliche Hilfe und Trost werden ihnen fremd. Die tägliche Bemühung, ihr dürftiges Hüttchen vor Erdrückung des Schnees zu bewahren, ermüdet sie des Tages und gönnt in den fürchterlichen Nächten ihnen kaum etwas Ruhe. Endlich setzt sich der Schnee, wird hart und tragbar; da wandern die ersten Wagehälse aus den Tälern übern Jaufen und bringen Kunde den kühneren Alplern von der unter ihnen atmenden Welt und ihrer gedenkenden Freunde und Verwandten in den Dörfern.

Weder Acker noch Garten lächelt denen Anachoreten [»Zurückgezogenen«], desto häufiger schwelgt im Sommer zahlreiches Hornvieh auf den frisch gekleideten Alpenwiesen. Ein hölzernes aber umgefallenes Kreuz bezeichnet, dass man endlich die Spitze des Jaufen erstiegen.

Mich noch mal an den ringsum in reiner Tageshelle glänzenden Schneespitzen ergötzend, welche auf dem Rumpfe der schwarzgrünen Talberge wie weiße Schlafmützen der Ewigkeit klebten, glaubte ich plötzlich Stimmen und stockähnliches Stoßen zwischen Steinen näher zu vernehmen. Laute auf Alpen täuschen; erst nach einer halben Stunde begegnete ich vier Männern. »Bischt du der, den der Mar hätt' loat'n solln insch Passei?« frug der Erste.

Ich bejahte es.

»No do kommscht eh recht und brauchscht in saggra Buib'n nischt.«

Ich gab ihnen meine Verwunderung zu erkennen hinsichtlich jenes Umstandes.

»No er isch am Bühl unsch begegn't und hot g'schogt, er hätt' di loat'n soll'n; do isch dir oba eingfolln, daschd' wusch verlor'n hoscht, und er häts eh nit g'funden, drum isch er weg g'rennt.«

Lachend versicherte ich, nichts verloren zu haben; ersuchte sie aber, mir zu sagen, ob jener Mar vielleicht verrückt wäre?

»Beilei nit! z'gern g'hobt hot der Saggra a Dirndl z' Passei, und de mocht heit mit oan Ondern d' Hotschet [Hochzeit]; Pfieti in unscha Tol!«

Sie drückten mir die Hand und gingen, diese Erstlinge meiner Neugierde: Rüstige Männer, die Passeier, wenn ihnen die Andern gleichen! Schlicht und einfach ihre Tracht, verdorben und undeutlich ihre Sprache: aber bieder und offen das Herz, in den Augen edelste Handlungen transparent! – Die Spitze ihrer heimischen Alpen verschaffte mir zuerst deren Bekanntschaft, ihr höchster und der ganzen Nation würdiger Anführer, errang längst Allen meine Achtung.

Als ich nun den vielen Fußtritten verläßlicher abwärts gehorchte, sah ich beiderseits wie geflissentlich aufgehäufte Steine; sie waren die Spuren einstigen Erdbebens, welches sich durch das Steingerölle unter meinen Füßen, nach Endigung des Schnees, vollends bestätigte. Übrigens wird viel von darauf gefeiertem Gottesdienste der Heiden in grauer Vorzeit gefabelt. Die Gegend ist so erhaben, so vom Geräusche geschieden, dass man für diese Meinung leicht eingenommen wird.

Passeiertal.

Nun betrat ich einen Nadelwald, dessen finsteres Haupt hie und da ein kahler Fels überragte; schauerlich predigte darin, ungesehen von mir und der Welt, ein gewaltig erzürnter Bach Verderben dem zerknirschten Tale. Die mächtigen Stämme schienen erbost über den Unversöhnlichen und schlugen mit den Wipfeln drohenden Takt, um Gegenkraft ihm zu zeigen; der Felsgrund zitterte, zerbröckeln konnte der Berg. – So warf der kleine Körper großer Seelen einst die um sich fressende Hydra in Ketten, weil er Mut genug besaß, sie anzugreifen!

Aus des Waldes Dickicht tretend, haftete mein staunendes Auge auf den Seltenheiten Passeiers. Überzeugt, dass nur wenig Hütten in der engen Talkluft Platz fänden, siedelten die anderen höher und höher, wie sie das Bedürfnis nach einander erschuf, auf die steilen Bergwände; ein Stück Wiese, Hafergrund oder Kohlgarten war dem bescheidenen Alpler genügend, um von dem lang geprüften Nachbarn nicht scheiden zu müssen. Manche scheinen ausgestoßen und hängen, wie verbannt, neben oder auf einem zackigen Fels, von dessen Ruhe das Leben der Hüttler abhängt – man schonte die Plätzchen Erdreich's, der Hütte am Felsen zu nützen. Wohl möchte mancher Städter anstehen, selbe nur um etlichmaliges Hinaufsteigen zu kaufen, indes sie von ihren Bewohnern doch so teuer angeschlagen wurden!

Aus Seen und von Schneefeldern eilen allenthalben geschäftige Bäche herab, in diesem Tale die Pässe zu lösen; sie wollen damit in Italiens Fluren sich brüsten und üben hier schon das Ringen, obgleich sie damit die Heimat verwüsten.

Die Bewohner, abgestoßen durch der Natur Zwistigkeiten, ketten sich eben so fest an einander. Ob auch Schönau, Glaneg, Rain, Gries, Moos ec. von dem Dörfchen Passei sich sondern, so sind sie doch ein Herz, ein Sinn; dies denken sie bewiesen zu haben, schiene meine Behauptung zu voreilig. Das Passeiertal erstreckt sich bis Meran auf einer Strecke von ungefähr sieben Stunden; ich glaube aber, dass die wesentlichste Veränderung das Größerwerden des gleichnamigen Flusses bewirke.

Hochzeitszug im Bergdorf.

Acht heiße Stunden von Sterzing bis ins eigentliche Passei hinab erzwangen den Wunsch nach Labung. Wo ist das Wirtshaus am Sand? frug ich, und zwei Buben liefen, sich Bemerkungen zuflüsternd, vor mir her, bis zu einem einzelnen Hause, welches den Unterteil gemauert, größer und schöner als die anderen von Holz erbauten, sich ausnahm. Der Sandboden, welcher vom nebenan niederfließenden Bache bei Überschwemmungen immer erneuert wird, möge ihm den seit 100 Jahren gegebenen Namen erhalten.

Also dieses Haus umfasste den schlummernden Heroen zum fürchterlichen Erwachen für des bedrängten, ewig geliebten Kaisers Wohl? – Wie verstand der Mann, welcher hier Gastgeber und Hirte gewesen, das

Kriegspanier [Kriegsbanner] über die vielen Alpen und Täler einem friedfertigen Volke kampflustig vorzutragen? Wie wusste er sich das Vertrauen, die Liebe und Achtung so vieler Tausenden zu erringen, welche der Oberanführer so nötig hat? Es kostete nur den ersten Schritt; der schlichte Sandwirt wagte ihn, und dies ist sein herrlichstes Verdienst! – Der Mann war gefunden, welcher für Kaiser [Franz I.] und Vaterland auftrat; wie er aussah, wie seine Kenntnisse beschaffen – gleich viel! Er musste es redlich meinen, denn er stritt um das Gute; Alle wollten dasselbe, daher hatte er Alle zu seinen Gefährten! – Um Hofer entwuchsen Talente und Genie's, er gehorchte ihnen, weil er sich nur in der Anhänglichkeit an das liebste Kaiserhaus der Oberanführerstelle würdig wusste. Dadurch gründete er Eintracht und Festigkeit unter den Patrioten und oftmaliges Besiegen der Feinde.

Nun erst prüfte ich genauer das Haus; Fenster und Türen schienen mir höher als bei gewöhnlichen Dorfwohnungen Tirols. Größere Ideen mochten seinen Erbauer beseelen, sich eine Wohnung zu errichten, deren Umrisse den Bewohner nicht immer an das Zusammengedrückte und Verschrumpfte erinnern, dem derjenige ausgesetzt ist, welcher gebückt die Türe passieren und nur mit Hindernissen zum Fenster hinaussehen kann. Von jeher waren die Hofer Sandwirte und geachtete Männer unter dem Volke; der unglückliche Andreas wollte seine heitere Wohnung nicht durch das krumme Joch der Sklaverei zum Schafstalle pressen lassen, er fiel, aber der Tod bewies die Größe seines Ruhms! Geboren 1767 zu St. Leonhard in Passeier, wurde

Andreas Hofer

nach seines Vaters Joseph Tod, ebenfalls Sandwirt; bieder, worttreu und fromm, war er nah und ferne geschätzt. Die Haltung seines herkulischen Körperbaues vom vielen Bergsteigen etwas vorwärts gebogen, entbehrte deshalb nichts an Behändigkeit und Schnelle. Seine Kenntnisse beschränkten sich auf deutsch und italienisches Lesen und dessen unkorrektes Schreiben. Die einzige Schwachheit, seinen schönen schwarzen, bis an den Gürtel reichenden Bart (der bei einigen Wirten Tirols seit dem Mode geworden), um keinen Preis sich abnehmen zu lassen, erhielt er bis zum Tode und war zum Teile Ursache, dass bei allfälliger Flucht aus Tirol er überall erkannt worden wäre. Bei mehreren Gelegenheiten Volkssprecher, war er in früheren Epochen Schützen-Anführer einzelner

Andreas Hofers Haus.

Kompagnien; vom April aber bis Dezember 1809 Volksanführer und Obergeneral der Landes-Verteidigungstruppen in Tirol. Nebst der höchsten Gewalt über Leben und Tod (welche er jedoch nie missbrauchte), brachte er die vom geliebten Monarchen ihm zugestandene Erlaubnis eigener Silbermünz-Präge in Ausübung. Glück und Missgeschick wechselweise mit gleicher Größe ertragend, sah er sich endlich genötigt, in einer vier Stunden von seiner Wohnung entlegenen Alpenhütte Sicherheit zu suchen. Gegen zwei Monate lebte er dort mit seiner Familie, allen Qualen der Kälte und Bedürfnisse preisgestellt. Treue Gefährten brachten ihm zeitweilig dürftige Nahrung auf verschiedenen Umwegen.

Schon schwand den sorgsamen Feinden die Idee, Hofer zu entdecken, da entlarvte sich der schändliche Verräter Joseph Donay [Daney], welcher das ganze Vertrauen des unglücklichen Sandwirts lange genoss.

Auf Anraten des Bösewichts ließ der Obergeneral Baraguay d'Hillers [d'Hilliers] den Staffel [Josef Raffl] (der, wie Donay wusste, Hofern Nahrung brachte) zur Anzeige von Hofers Schlupfwinkel zwingen. Fünfzehn hundert Franzosen folgten nachts dem geängstigten Führer zur entlegenen Alpenhütte, um den gefürchteten Volksanführer, abgemagert, kränklich und der elenden Lage überdrüssig, zu fangen. Entschlossen trat er den Häschern entgegen und ersuchte nur um gute Behandlung seiner Familie. Weib und Kinder erhielten zu

Nationalheld Andreas Hofer mit goldener Verdienstkette vom Kaiser.

Bozen die Freiheit, Hofer aber wurde unter Millionen Tränen seiner ihn liebenden Tiroler, ungefesselt, jedoch unter starker Bedeckung über Mailand nach Mantua gebracht. Ein rührender Beweis seiner Herzensgüte entsprang, als er auf diesem Zuge mehrere der braven Mitkämpfer, welche sich an ihn drängten, wegen manchen Unbilden um Vergebung bat und seinen letzten Besitz, den Rosenkranz, die silberne Tabaksdose und 500 Gulden armen Landsleuten bestimmte.

Nur drei Wochen verflossen von seiner Gefangennahme (Ende Jänner 1810) bis zur traurigen Hinrichtung. Man beeilte sich vergeblich, den Mann aus der Menschen Angedenken zu schaffen, der nur für seinen Kaiser gelebt, dessen letzter Gang auf die Bastion von Mantua keine Klagen, sondern das Vivat des geliebtesten Monarchen anstimmte. Ruhig, mit vollkommster Selbstbeherrschung, kommandierte er stehend, mit unverbundenen Augen, sich selbst den wahrhaften Martertod; denn erst die vom Korporal ihm durch den Kopf gegebene dreizehnte Kugel endigte sein 42-jähriges Heldenleben. Hofers unerhörte Resignation möge die todkundigen Soldaten zitternd gemacht und deren schlechtes Treffen verursacht haben.

Donay aber, von Napoleon begnadigt, mochte zu einem anderen Ende, als sein verratener Freund gefunden, zähneklappernd sich Glück wünschen.

Der große Waisenvater Franz [Kaiser Franz I.] gab der ausgewanderten Hoferischen Familie Adel, reichliche Pension und Kapitalien zur beliebigen Ansiedelung, welch letztere jedoch nur den Sohn des Verbli-

Auf der Ziegenalm.

chenen zu Fischament in Nieder-Österreich fesseln konnte, da die Gattin und Töcher wieder nach der gesehnten Heimat zurückkehrten, um das Wirtshaus am Sand nicht veröden zu lassen.

Dies die gedrängte Skizze des merkwürdigen Mannes, dessen einstige Behausung ich nun betrat. Es war 1 Uhr Mittags und die Tafel bereits aufgehoben; doch durfte ich nicht über den Heißhunger der abgespeisten Gäste klagen, denn mehr als ein Nachkömmling hätten bescheidene Wünsche erfüllt gefunden. Die Gerätschaften und Einrichtung des Hauses würden mir so viel Aufmerksamkeit abgelockt haben, wüsste ich nicht, dass dieses Haus der Feinde Plünderung und Verwüstung unterlag; nur Hofers wohlgetroffenes Portrait zeigte mir dessen Witwe als wertvolles Denkmal. Die große Stube war leer, erst am Abend sollte ich sie mit Gästen angefüllt sehen.

Der Wunsch, die merkwürdige Alpenhöhle zu sehen, worin sich Hofer im August 1809 nach Abzug des österreichischen Militärs verbarg, scheiterte; Lawinen hatten sie zugeschüttet. Ich fühlte also abermals Ursache, meine um einen Monat zu spät unternommene Wanderung zu bereuen.

Sicherer versprach man mir die ebenfalls schon umschneite Sennhütte

Kellerlahn

zu weisen, in welcher der verborgene Sandwirt nach zwei monatlichem Aufenthalte gefangen genommen wurde. Sie lag außer der Richtung meines einzuschlagenden Weges; für heute konnte ich die vom Wirtshause aus erforderlichen vier Stunden hinauf und drei Stunden zurück, nicht mehr anwenden, und der morgige Tag schien mir mit mühsamer Erkletterung einer Hütte, deren ich hundert ähnliche gesehen, nicht hinlänglich Lohn bringend, besonders da sie seit den verflossenen 16 Jahren vielleicht nur den Ort andeutet, wo sie ihren einstigen Bewohner beherbergte.

Ich widmete den Nachmittag meinen zu notierenden Bemerkungen und den melancholischen Ufern des Sees, welcher mit noch einem höher gelegenen im Westen, den Passerbach ausbrütet. Neugierde ausgenommen, entsprach die Abendgesellschaft nicht meiner Erwartung; das unglückselige Kartenspiel schien hier wurzelnder als anderswo Platz zu greifen, mich dauerten die Armen, deren Äußerem ich ansah, dass der verspielte Gulden ihnen schmerzlich fiele und dennoch auf diese Weise Vergnügen suchten. Da der Morgen etwas Regen brachte, nahm ich mir über die Alpen-Höhen des

Timlar [Timmels]- und Panker-Jochs

einen Führer; Moser (so hieß er) versicherte, dass nichts zu besorgen wäre, weil die hohe Fürstspitze keine Nebelkappe trage, treffe aber dieser Fall ein, so dürfe die Gemse keine Wurzel graben (Sprichwort der Passeier und Ötztaler), damit die Lawinen nicht zittern und herumwälzend alles begraben. Moser war in der umgebenden Alpenwelt äußerst bewandert; ein angenehmer Schwätzer fabelte er viel vom südwestlichen Gurglersee, steinernen Tischbild und Schalf Kar.

Als wir in bewaldeter Talkluft, worin sich willkürlich durch gewaltige Sätze links der kleine Bach sein Beet erweitert, auf unmerklichem Gangsteige aufwärts drangen, winkten eingreifender die himmelanstrebenden Seitenszenen. Aber wenn man ausrastend zurückblickt, so täuscht neuer und launiger das krumme Tal. Häuschen und Sennhütten, die man zuvor nicht gesehen, ruhen auf waldumrankten Bergwiesen umher: Rinder, deren Glockengeläute sie früher verriet, zeigen auf tiefem Grün nun die glänzend buntfarbigen Körper. Echoreich schalmeit ihnen nach, der Ton des lustigen Hirten. Glatte Streife frischen Schnee's ziehen sich wie silberne Ordensbänder der ausharrenden Hoffnung über höhere Wiesenabhänge und durch schwarzgrüne Föhrenwälder herab, sie hauchen die Frische dem Wanderer, welche er nie in Städten genießt, auch wenn der haardurchwirbelnde Boreas die Öfen zum Glühen zwingt. Der Bach verschwand, immer höher und höher zwischen wahren Riesengebirgen stufnete sich auf den Marmor- und Kalkabhängen unsere kritische Bahn. Wenn bisweilen die Gefahr, hinabzustürzen in die gähnenden Schlünde, sich minderte, so erhob sich wieder eine überhängende Felsenwand, welche mit ihren lockeren Steinmassen eben nur unsere Ankunft zu erwarten schien, auf immer uns zu begraben. Wir benützten die Steigeisen, der Seele Blähungen damit zu dämpfen und dem Fuße die Tritte zu sichern.

Als nach drei Stunden das wenige Krummholz im pfadlosen Schnee durchklettert und bald darauf der Hochrücken des Timlar [Timmels]- und Panker-Jochs erklommen war, spiegelten schmeichelhaft die zwei kleinen Passeier-Seen tief unter unseren Füßen die Konturen der besiegten Felsen.

Merkwürdig bleibt diese Alpenhöhe vor hundert anderen dadurch, weil sie aus ihrem Schneevorrate zwei sich ganz entgegenwirkende Flüsse erzeugt. Kaum eine halbe Stunde von einander murmeln die obersten Quellen des Passer- und Timbel-Baches. Ersterer nach Süden strebend, verschlingt alle Quellen des Passeier-Tales, verliert zwar seinen Namen im ungleichen Kampfe mit der Etsch bei Meran, zieht aber, mit der Siegerin versöhnt, aus dem frostigen Vaterlande, um sich in Italiens milden Fluren zu wärmen, und der ermüdenden Fläche endlich überdrüssig, im adriatischen Meere zu ruhen. Letzterer aber, welcher gegen Norden niedereilend, zusehends größer als Ötztaler-Bach dem sechs Meilen langen Tale den Namen bringt, fühlt sich trotz seiner vielen Begleiter zu schwach, die weite Reise eigenmächtig zu vollführen. Er huldigt dem gewaltigen Inn, welcher aus den Alpen-Schanzen östlich ihn fortführt zur herrschenden Donau, im gesegneten Österreich die freundliche Hauptstadt zu küssen, und mit diesem Troste durch Ungarns reiche und Türkei's verwüstete Flächen zu wogen, das Schwarze Meer bedeutend zu süßen. [1825, als Kyselak Tirol durchwanderte, war das von der Donau berührte Serbien noch unter türkischer Herrschaft.]

Durch mehrere hundert Meilen trennen sich diese erwachsenen Geschwister von ihrer Geburtsstätte; sie fliehen einander von erster Entstehung bis zum Ende, welches aber gleich erhaben, gleich ruhmvoll ist: Trauriger sondert oft die Zwietracht des Vaters gleich geliebte Kinder, sie meiden sich, ohne je solch schönes Endziel zu begründen.

Auf der Höhe war nicht lange zu verweilen; tobender Nordost gab uns solche Froststöße von den Eiswänden, dass sie uns bei des angestrengten Kletterns starker Erhitzung gefährlich schienen, auch war außer Eis und Schnee nichts Erhebliches zu sehen.

Wie ganz verschieden von dem tätigen, Hütten besäten Passeier macht sich das

Timbelbach-Tal! [Timmelstal]

Verlassen und arm, wie im Zemtal, umwuchern es Wälder und kahle Felsen; vor Zeiten sollen hier die meisten Gemsen und Schneehühner ihre Herberge gesucht haben; ich sah keine, man mochte sie längst dieser und anderer Wildnisse überheben. Der merkliche Gangsteig führt nun fortwährend am rechten Ufer des Timbelbaches [Timmelsbach] tiefer ins Tal; ich entließ also Moser, um ihm beim Rückwege die abermalige Alpersteigung zu ersparen, obgleich mich dessen gute Laune und Frohsinn länger hingehalten hätten, den Führer zu benötigen.

Nach anderthalb Stunden macht man die Bekanntschaft einer andern, sich mit der Timbel verschwisternden Nymphe, welche das Kamles- und Hangerer-Kar ihre Eltern nennt, und auf dieses Herkommen gestützt, mit der neuen Freundin sich ebenfalls auf der guten Erde allen Mutwillen erlaubt.

Ötztal.

Eine halbe Stunde darauf erfahren die Übermütigen, dass zwei dem Dritten leicht unterliegen. Der Ötzbach, das lange Tal nun taufend, zeigt dem Wanderer als Alleinherrscher alle seine Macht und Schönheit. Könnte man einen südlichen Flachländer oder Städter durch Zauberspruch plötzlich hierher bestimmen, ich glaube er müsste verwirrt, wenn nicht gar betäubt werden. Herrlich ist das Tal für den Naturforscher, Maler, Botaniker ec., preiswürdig selbst für denjenigen, welcher großer Eindrücke gewohnt, durch die bunten Formen der Alpenwelt hierher drang. Man denke sich ein Tal, dem die hundert Zickzacke des Weges eben so viel Veränderliches bringen, als die hundert Berge, Felsen und Alpen zur Variation geeignet sind. Gemeinden und Weiler flüchteten in diesen entlegenen Winkel, weniger um darin Reichtum als vielmehr Ruhe zu suchen. Die zahlreichen Seitentäler, aus denen eben so viele Bäche dem ungeheuer anwachsenden Ötzbache zueilen, scheinen die Gänge eines unermeßlichen Labyrinths, dem das vom Dädalus in Kreta zum Wunder der Welt errichtete, ein Kinderspiel geworden. Hat das Zemtal durch furchtbare Hoheit entzückt, so sieht man es hier wieder erzeugt, und Hütten darin, die jenem entgingen. Luden Äcker und Wiesen des Ziller- und Passeiertales zum schönen Beruf, so grünen sie dichter hier, und der Kontrast spielt greller mit den allenthalben niederdrohenden Schneebergen. Des Eisacktales kräftiger Fluss müsste verstummen vor jenem kühnere Sprache behauptenden im Ötztale.

Sölden ist das erste Dörfchen, welches dem Wanderer Erquickung bietet, denn in dem vorherigen Weiler Windau, so wie in den anderen Gemeinden Rechenau, Zukaiser, Granbichl, Brand, Armelen und Grubl, welche unter Windau fortlaufen, kann man außer heiteren und kraftvollen Bewohnern kein Mittel zur Stärkung erspähen. Zahlreicher und noch zu wenig bewundert sind die Wasserfälle des Ötztales. Schon mein beredter Führer Moser machte mich auf sie aufmerksam. Zeit und der äußerst beschwerliche Weg erlaubten mir zwar nicht, die auf meiner Wanderung oft angestaunten, hier vielleicht übertroffen zu sehen: allein ich hörte sie niederbrüllen, vorzüglich in den Klüften rechts bei Brand, und sah ihre Wogen einbrechen in die eisige Ötz mit all der beflügelten Schnelle, welche den gähen [schnellen] Sturz auf der kurzen Bahn voraussetzt. Furchtbar müssen die Folgen eines Hochgewitters wüten, wenn des Flüsschens Ufer die wachsende Flut nimmer zu umfassen vermögen und die Wellen ihre Freiheit fühlend, losbrechen über den grünenden Fleiß rastloser Menschen, welche zu nahe dem verschlagenen Feinde die Flecken Erdreich benützten; hart mit des Geizes böser Gier entgräbt sich der Strom die Saat samt den Ort, der künftig Ernten hoffen ließe, damit der Arm für Arbeit willig, keinen Platz zur Arbeit finde! – Nicht zu hoch für solchen Krieg scheinen die Häuschen im Tale gestellt, sie müssen wie Festungen sich behaupten, wenn zu ihren Füßen und über ihren Dächern tausend Gräulichkeiten sich vereinen, durch einen gräßlichen Sieg das ganze Ötztal zu veröden.

Unter dem Dörfchen Hube [Huben], wo der mannbar gewordene Ötzbach nach Westen bedeutend ausgreift, führt eine Brücke und Gangsteig zu ergiebigen Sennereien, und dann immer westlich übern Felderkogl ins Pizental [Pitztal]. – Noch kam ich zu dem kleinen Örtchen Burgstein, eh ich den Hauptort des ganzen Ötztales

Oberlengenfeld [Längenfeld]

erreichte. Dieser Markt mit einigen hundert Einwohnern spielt im Miniatur die Rolle einer Hauptstadt. Wein und Braten bietet das Wirtshaus, zu Pferde kann der bequemere Reisende über Umhausen, Dumpen [Tumben] Oes [Ötz] das ganze Tal bis zum Inn passieren; die Häuschen verraten einigen Wohlstand, die Kirche etwas Geschmack, und der bedeutende in die Ötz einstürzende Fischbach gibt dem Markte das Ansehen eines kommerziellen Stappelortes. Indes, wenn auch diese beiden Bäche nie ein Trog, geschweige denn Fahrzeuge durchstrichen, so sind sie doch nichts weniger als arm an Ausbeute und Nutzen. Mühlen und herrliche Fische sprechen ihnen das Wort, und ich hatte volle Ursache mit selben zufrieden zu sein.

Tiroler »Spediteur« mit Saumpferd.

Ich benötigte von Passei bis Oberlengenfeld elf Stunden, zwei davon mochten der Erholung und Ansicht der Gegend hinfließen; eigentlich sollten noch zwei Meilen durch den Nachmittag zugefügt werden: allein meine Reise schwang sich über die höchsten Ferner des Alpenlandes in das Tal Stubai-Ruz [Stubaital] Dazu brauchte ich einen Führer, heiteren Tag, 10 Stunden und – volle Kraft! Alles musste ich hier abwarten, da in dem eine Stunde vom Markte entfernten Gries höchstens Branntwein und Nachtstroh mich begnadigt hätte.

Mein morgiger Führer Lehner machte mir bald den Besuch; er riet, Mundvorrat zu bestellen, dabei aber den Branntwein ja nicht zu vergessen, die Steigeisen etwas schärfen zu lassen, und bald der Ruhe zu pflegen, weil wir des Mondes abnehmende Sichel zu bequemerer Nachtwanderung benützen würden; »der kommende Tag scheine günstig zu erwachen, weil der Abend so wind- und wolkenlos entschlummere.« Die Gutherzigkeit einiger Gäste wusste viele Bedenklichkeiten von Gefahren und Anstrengung hervorzubringen. Ihre Beweise gründeten sich auf Hörensagen, denn nur drei von ihnen hatten diese Wanderung einige Male gemacht und fanden eben nichts Halsbrecherisches daran. Der Gemsenbraten, welcher mir als Seltenheit überaus mundete, weniger zäh findend, strebten ich und mein Führer für die morgige Bagage zu verringern, dafür musste aber eine tüchtige Portion Kalbfleisch und Brot die Wanderung auf die Alpen mitmachen.

Es war 12 Uhr nachts, als mich Lehner aufbrechen hieß vom reinlichen Strohlager und seine Pfeife anbrannte, um mit dem Tabaksdampf den Schlaf und die Morgendünste zu bannen. Kein Hahn krähte uns nach den Morgengruß über die schlummernden Hütten, welche von dem Silberschimmer des freundlichen Nachtschwärmers seltsam berührt, bald größer, bald verkleinert sich ausdrückten auf den buntfärbigen Talhügeln Oberlengenfelds. Der Fischbach, an dessen rechten Ufer ein sicherer Gangsteig uns aufwärts leitete, suchte mit der eingreifenden Stimme eines rastlosen Wächters durchaus alles zu erwecken, als wenn Feinde und Schlachten ihm folgten. Er bezweckte wie so manche Brummerei – taube Ohren!

Beim Weiler

Gries

verließen wir nun den Gangsteig, welcher nördlich, doch zwischen Gleirscher- und Kögl-Ferner sich hinzieht ins Melacher- und Ziriner-Tal [Zirmbach?]. Wir brauchten vom Markte bis zu dieser letzt bewohnten Stätte nächst den ewigen Eisfernern fünf viertel Stunden; bei Tage kann hier der Wanderer auf Brot und Branntwein hoffen. Froh, dessen nicht zu bedürfen, stieg ich nun meinem Führer in den Nadelwald nach. Ohne Mondenlicht wäre bei Nacht darin schwerlich durchzukommen, indem Gruben und vom Sturme niedergerissene Bäume noch die geringsten Hindernisse gegen die steilen Abhänge des Nichtweges sind; dem ungeachtet fand ich zu meinem Erstaunen Spuren, dass hier bisweilen Hornvieh klettere, und wirklich lobte mein Führer zwei vortreffliche Sennereien in der Nähe. Aber kein Laut kündigte Leben; entwöhnt der Triller kosender Vögel, schien der Wald nur ein Aufenthalt fresslustiger Raubtiere zu sein, welche stumm ihre Beute erlauern.

Lehner war wohl gut zu Fuß und kannte jeden Stein, aber sein dicker Hals und dampfähnliches Atmen erklärte ihn zum unpassendsten Führer, deren ich je hatte! Alle Augenblicke musste ich seinetwegen rasten; er schob die Schuld auf meine Bagage, die er bedingnisweise trug; ich sah mich also genötigt, sie anfänglich abwechselnd und später durchaus allein zu tragen, wozu ich lieber noch einen Mann in Oberlengenfeld gedungen hätte.

Näher drangen wir dem Ursprunge des Fischbaches, der, sein Wasser im Schaume versilbernd, nunmehr aus zwei Armen zusammenfloss; den vom Gaisten- und Schran-Kogel niederwirbelnden ließen wir links und folgten dem rechts auf dem Glanersgrund-Ferner erzeugten. Wir durchwateten das Beet, um auf den Abstufungen der Felsen leichter als in der unzugänglichen Bachkluft aufwärts zu kriechen. Die Eisen halfen hier wenig, weil die Zähn sich in dem tiefen und nassen Moose und Wurzelgeflechte öfter verwirrten und man mehr zu tun hatte, den Fuß zu befreien, als Abgleiten zu besorgen; dem ungeachtet musste man sie belassen, indem mehrere mit Kalkgruß überdeckte steile Felsenwände sie wieder notwendig machten. Lehner nannte diesen Bezirk

Gamsrüffl.

Jetzt betraten wir den Schnee, dessen ausgedehntes Reich sich schon geraume Zeit um uns herzog; hier und da tupfte noch eine Alpenfichte ihr schwarzes Grün auf sein blendend Weiß; es schien die karge Stickerei eines Trauerschleiers, welchen die Schöpfung einem stiefmütterlichen Teile des Erdballes umwarf, damit der Mensch sie verkenne und fliehe. Allein, so wie der strömende Fluss seinen Wellen keinen Rückfall gestattet, so vermag wohl keiner umzukehren, der bereits hierher gedrungen, sein Herz und Auge der Natur froh preis zu geben. Meinem Führer war es mehr um Tabakschmauchen und Frühstück, als um rednerische Lobeserhebungen und Alpenschönheiten zu tun. Das angestrengte Klettern verbot ihm den Genuss der Pfeife und sogar den Diskurs; kaum, dass ich aber glaubte, auf einem Steine ausruhend, von ihm etwas Merkwürdiges zu erfahren, so ward schon wieder der Tabak angebrannt, für dessen Fortglimmen er alle Aufmerksamkeit anzuwenden strebte und nur das Ansuchen um Schnapserfolg herauskramte. Wie oft erinnerte ich mich an jenen rüstigen Wildschützen des Duxertales und den munteren Moser, welche wie Cicerones die Wanderung angenehm zu machen wussten, ohne durch Sitzen und Schmauchen selbe in die Länge zu ziehen.

Solcher Rastperioden gab es übergenug, jedoch führten sie das Gute mit sich, dass Lehner's Speise- und Trankvorrat immer leichter wog und ich vor Ermüdung und zu starker Erhitzung in der dezemberischen Morgenkälte mich wahrte. Dieser Frost und einige heiße Mittage, welche vorhergingen, hoben das Kritische der Wanderung, weil sonst der frische hie und da drei, am Ferner acht und zehn Schuh hohe Schnee, weder wie gegenwärtig hätte behutsam überschritten, noch durchwatet werden können. Desto mehr mussten wir uns vor dem Schmelzfeuer der hochgestiegenen Sonne scheuen, wenn es uns saumselig noch auf den Gletscher-Spitzen zu dieser Jahrszeit ertappen sollte. Im Februar und März, wo der Alpenschnee bereits durchgehends zu einer festen Masse geknetet ist und Phöbus weniger feurig um sich blickt, kann man sorglos hinüberwandern; Täler und Klüfte sind dann durch Lawinen verschüttet und bieten eine flach emporstrebende Bahn, bis der Frühlingshauch diese unergründlichen Lager öffnet und ihren unversiegbar scheinenden Reichtum durch kleine aber eingreifende Bäche verringert.

Das einzige Gefährliche, was bei Sommer- und Herbst-Reisen weniger zutrifft, ist, dass obgleich Februar und März solche Gletscher ersteigbar machen, die sonst nie besiegt würden, unvermutet Schneegestöber bringen, welches schon allzu viele Opfer schöner Wissbegierde hinwegraffte.

Rein, aber schwächer beglänzte noch der Mond die aufatmende Erde; schon fühlte die Bergwelt den Wiederbesuch der höheren Gebieterin, unaussprechliche Ahnung und Empfindungen wogten aus dem frischen Äther in meinen Busen, der mit heiligem Schauer diese Geschenke zu verwahren schien.

Wir hatten nun allmählich die Grenzscheide der Ötztaler Abdachung nach Endigung des Fischbaches erklommen, nur anderthalb Stunden sollten uns in den Bereich des Längen- respektive Stubai-Ruztales [Stubaital] bringen. An diese Zwischenhöhe ketten sich die ewigen und höchsten Ferner des hochgebauten Tirol. Wir sahen sie noch nicht; die vier Stunden von Oberlengenfeld hatten uns nur noch kleine Alpenumrisse vorgegaukelt, wir sollten dadurch zum frohen Erstaunen hingehalten werden, welches ihre Betretung und Ansicht zugleich entwickelt.

»Etwas rasten, eh wir die

Adlerschanz

erklimmen«, meinte Lehner kaltblütig und setzte sich in den Schnee; ich besah ihn und eine steile Wand, welche so benannt, bei 100 Klafter sich vor uns wirklich schanzförmig auftürmte. Einige Gemsen entwichen eben von derselben links auf schroffere Höhen; ich machte ihn aufmerksam darauf. »Es sei gut, dass wir etwas verweilten«, versicherte er, »weil sonst von diesen saggra Springern Steinwürfe zu erwarten gewesen wären, welche uns unvorbereitet eben so hätten zerschmettern können, als einstens dadurch auf dieser nämlichen Stelle ein Raubschütze verunglückte.« Wieder ein neuer Stoff zur Bewunderung dieser ungewöhnlichen Tierchen; ich glaube, wenn man noch länger in ihrer Heimat herumreisete und all ihre Schlauheit und Vorteile erführe, man müsste anstehen, sie als gewöhnliches Wild zu erlegen.

Mit Händ und Füßen konnten wir uns ziemlich sicher an den Kanten der Kalkwand hinaufhelfen; plötzlich aber trennte ein ungemein tiefer und acht Schuh breiter Felsenriss unsere acht bis sechzehn Zoll breite Grundfläche, auf der wir zur Rechten fortwährend die glatte Felswand, links den bodenlosen Abgrund sahen, und so in schiefer Richtung uns emporarbeiteten. Es befiel mich eine wahre Höllenangst, denn rückzukehren schien mir so gewiss Tod bringend, als der misslungene Sprung, und den zauderte Lehner zu wagen. Es wunderte ihn, dass der Stein, welcher vielleicht schon vor Jahrhunderten von der Felswand abstürzte und sich hier verschlug, durch den beständigen brückenähnlich daran gehäuften Schnee, endlich verwittert und ganz zerbröckelt sei, wodurch die Passage gefährlich werde; die

Adler eine Schafherde überfallend.

Wolfsriese

müsse also übersprungen werden, weil jenseits, aber nicht hier der Rückweg ratsam wäre. Es war die erste Tat, die ich ihm anloben konnte, als er nach einem Schluck Branntwein, samt dem kleinen Bündel mit Mundvorrat, kühn hinübersetzte. Ich war nicht im Stande, mit meinem schwereren Gepäck ihm gleich zu folgen. Die Jagdtasche flog zuerst, und dann warf ich mein Gewehr nach, dessen Schloss zwei umwundene Tücher schützten. Ich reihte mich an den Vorläufer, und mein Duna machte den Schluss, ungrübelnd, warum er nach solcher Strapaze noch springen müsse.

Mit jedem Schritte wuchs der junge Tag auf den Höhen, während in der Tiefe noch alles im Schatten sich barg. Goldwölkchen zeigten schon, dass sie dem Reiche Apollo's entsendet, mit seiner Leibfarbe geschmückt, Ehrenbesuche den Tälern vermeinen. Mir rann der Schweiß vom Haupte, ich fürchtete, den Sonnenaufgang zu versäumen; Lehner fand keinen zum Sitzen noch Stehen bequemen Platz, er keuchte, dass Schneeflocken schmolzen. Jetzt standen wir am Gürtel des

Glamersgrub-Ferners.

In gerader Richtung nach Norden zieht sich das Längental, dessen Hauptbach, der Stubai-Ruz, aus zwei Quellen auf diesem Ferner sein erstes Dasein saugt. Der Eissee, die blaue Lacke genannt, sammelt jene Erstlinge und schickt sie, vereint mit größerem Vorrate, in die Fremde. Dafür glänzt aber dieser kleine See unter den ihn umfangenden Schneedämmen mit besonderem Ansehen und weiß seine Gewalt den Talbewohnern furchtbar zu machen, wenn wie vorlängst, ein vom Ferner entblößter Eisberg in dessen tiefes Beet niederdringend, die Wogen überströmen macht. Dann zittern die Felsen von dem wilden Springen der ausgesäeten Kaskaden, und zähnklappern die Hüttler, wenn ihre Wohnungen wie Kähne entschwimmen. Südlicher und höher lehnt sich an diesen Ferner die mächtigere Schaufelspitze.

Es war fünf Uhr, purpurn flammte der Osten, des Mondes ausgeschnittenes C sah sich allmählig zurückgesetzt mit seinem Schimmer und fühlte erblassend, dass nur noch die Täler ihm Dank wissen für sein geduldiges Ausharren. Traurig wich er der allgepriesenen Rivalin, blickte aber voll Neid lange auf sie, ihr beginnendes Tagwerk zu erforschen; die Goldscheibe weilte noch hinter den Eiswänden des Hoch-Grinds und der Doppelspitze des hohen Fretiel's. Der blaue Himmel kleidete sich dort zum Festtage in die Farbe der Rosen, roter und glühender wurden die Wangen der Eiskönige, nun tauchten auch die Untertanen ihre Schneehäupter in das Feuermeer; die Alpenwelt schien sich in Brand aufzulösen, während wir uns zu Eis verwandelt wähnten. In der viertelstündigen Rast wirkte so beißende Kälte auf meinen nasserhitzten Körper, dass ich aus der Ledertasche Sacktücher nahm, den Hals einzuwickeln und ein Hemd über den Frack anzog. Lehner bat mich um das andere vorrätige, welches er ebenfalls über seine Jacke warf, worauf wir dann im gleich possierlichen Aufzuge, wie halbe Schneemänner, langsames Abkühlen erwarteten. Mein bequemer Führer war keineswegs gesonnen, die Erkletterung des Glamersgrub-Ferners gut zu finden. »Oben sei, nach außerordentlicher Anstrengung, auch nicht mehr zu finden als hier, und er hätte von dessen gänzlicher Ersteigung mit mir nichts ausgemacht.« Ich sah mich genötigt, seine Halsstarrigkeit mit zwei blanken Kaisergulden als Trinkgeld seiner Bemühung zu bannen; denn allein hätte ich es nie gewagt, hinauf zu trachten, und unverrichteter Sache von hinnen zu schreiten, wäre mir, da ich eigens des Ferners wegen diesen ermüdenden Weg unternommen, weit lästiger gewesen, als dazumal, wie ich vom Zemtale bei der Gemsenjagd dem Fustschlag-Ferner genahet, wegen des trüben Tages erfolglos vorbeizog. Selbst die heiterste Atmosphäre konnte auf diesem Standpunkte nichts bieten, da wir zwischen Schneekegeln verschlagen, nur die nächsten Eisbegrenzungen, den blauen Lackensee und den mitleidig niederblickenden Himmel sahen. Kein grünes Fleckchen munterte die Augenweide, kein Hüttchen zeigte, dass hier herum einstens Leben geatmet; die Aussicht war so frostig und sonderbar, so originell tot, dass sie mir eben denkwürdig bleibt.

Auf Gletscher zu gelangen, möge im Allgemeinen gleich sein, unserer war keiner der höchsten (8312′), und doch lud kein anderer Weg als seine Eiswände hinan; die steileren mussten natürlich vermieden werden, weil man genug zu sorgen hatte, sich mit den 14 Fußeisenspitzen und festem Stocke auf denen flacheren zu erhalten. Hund und Bagage blieben zurück, den Schnaps nahm Lehner in seine besondere Protektion, ich den notwendigeren Tubus [Fernrohr].

Nach der Dachsteins-Besteigung galt diese als zweite gefährlichste Bahn meines Lebens; erstere war es wirklich im ganzen Umfange; diese trug nur das Bild davon. Denn sicher klebt man mit festen Eisen auf dickem und von der Sonne noch nicht erweichten Eise; wenn auch hie und da sich Blättchen ablösen, so verklopft man schon vorher mit dem Stocke die Probe; auf dem ganz dünnen greifen die Stacheln durch. Ein Sprung, Gekrache (Lehner nannte es Gesang) wälzt bei gleicher Witterung noch nicht die hundertjährigen Lager herab. Man muss sich nur vor Schnelle hüten, weil sonst die Kraft auf der turmsteilen Wanderung bald erstirbt und man nicht genug Zeit hat, den Fußgrund zu prüfen. Schwindel darf ohnedies kein Gletscherbesteiger kennen, denn wenn er kleine Eisstückchen unter seinen Füßen hundert und mehr Klafter abgleiten sieht, so möchten ihn dann sonderbare Gefühle bestürmen und sein Ende herbeiführen.

Einer langen überwölbten Lawine, die nur eines Lufthauches zu harren schien, auf uns herabzufallen, konnten wir mit vieler Behutsamkeit ausweichen; ich kannte deren furchtbare Gewalt vom Dachstein her und war froh, nicht über sie unser gefährliches Glück versuchen zu müssen. Die Felsenzacken (Falkschnäbel genannt), welche wir überkletterten, waren zwar nichts weniger als Stufen, aber im Vergleiche mit der jungen ungefestigten Lawine – *Parquettafeln!* Nun gings zum Preisringen. Alle Gletscher sehen von der Ferne wie mit grünlich weißer Glasur übergossene Obelisken aus, ihre Spitzen ausgenommen, die nie Gletscher sind und zwischen dem Schnee auch vorragende kahle Felsen zeigen. Dies erklärt sich daraus, dass auf Alpen, wo die ewige Schneegrenze (wie in Steiermark, Salzburg, Kärnten, Tirol und Schweiz) mit 8000 Fuß ober dem mittelländischen Meere beginnt und die Welt für sich schon tot ist, durch die Sonne verhindert wird, dass diese Schneemassen im hunderttausendjährigen Wuchse nicht zu den Spitzen emporreichen. Kein Regen erweicht über jener Höhe der Alpen frostige Lasten; die Sonne muss als Mittler auftreten zwischen dem unmäßig sich häufenden Schnee und der lebenden Welt, welche bald darunter begraben würde. Ihr Feuerhauch schmilzt auf den höchsten Ferner-Spitzen den Schnee, er fließt an den Schultern herab, in dünnen Wasserfäden; die Nacht festet ihn, er setzt sich dort zu Eis, wird immer dichter und glätter, schleift den frisch gefallenen Schnee nieder in die Täler zu Lawinen, die dort bei größerer Wärme leichter schmelzen; während der auf den Zinnen anwachsende Schnee nur periodisch abfließt, die Gürtel der Gletscher zu glätten. So erhält sich der Gang der wunderbaren Natur, die man nirgends leichter studiert, als wo sie aller Menschenhände enthoben, nur sich selbst überlassen ist.

In der Nähe präsentieren sich die Gletscher ganz anders; sie bestehen aus lauter kleinen wellenförmigen Hügeln oder Streifen, die bald über Felsen, bald über Klüfte sich hinspannen, wonach die dünneren, weil sie hohl aufliegen, wie Glas klingen und springen. Die dichteren, schuh- bis klafterdicken Massen, haften eben so fest wie der Fels, welcher sie trägt, bekommen aber dennoch bisweilen bei lauen Windstößen Risse, diese erweitern und lösen sich etwas, ein Sturm hebt und schleudert sie dann samt dem angewachsenen Gestein wie Eisvulkane ins bebende Tal. Unser Ferner hatte vor anderen noch die Auzeichnung, dass er inner seinen Wänden selbst vielleicht Eisseen barg, wenigstens gähnten auf westlicher Seite ungemeine Schluchten und Vertiefungen wie kristallisierte Hallen, denen ich aber unmöglich nahen konnte, weil sie ohne alle Steinstütze bloß aus schroffen Eiszacken bestanden.

Da man jede zunehmende Höhe sicherer aufwärts als hinabklettert, so muss man sich bei ersterem ja nicht übernehmen und hitzig die nächsten steilen Pfade wählen, sondern auf den Rückweg denken, welcher gleichermaßen nicht statt findet und von oben herab keinen besseren Weg entdecken lässt. Wir wären schneller und dennoch sicher empor gelangt, wenn wir nicht manche Plätze gemieden hätten, welche uns beim Rückwege gefährlich worden wären. Die Eisen gruben die Spur, wo aber ein Fels oder geblätterter Schnee sie unkenntlich machte, kratzten wir uns mit den Stöcken Zeichen, welche wir auch glücklich beim Niederwandern erkannten.Der Umfang des auf Granit ruhenden Glamersgrub-Ferners möge dort, wo er Gletscher zu werden anfängt, zwei Stunden betragen; er zieht sich im länglichen Oval zur zwei Stunden entlegenen Höhe, deren südliche Abdachung weit steiler als die nördliche ist. Die Zinne endigt sich mit drei Spitzen, welche ungefähr 30 Klafter hoch, wie Zähne den Himmel anzufallen drohen. Ich bestieg keine derselben, schroffe Klüfte scheiden einen Wipfel von dem andern; man müsste mehrere und verlässlichere Führer als der meinige gewesen und Vorrichtungen wie jene am Dachstein besitzen, um das Vorhaben auszuführen, welches kaum im hundertsten Teile mit jener des Dachsteins hochlohnend schiene. Denn obgleich ich über 8000 Fuß mich erhoben fand, so fühlte ich doch allzu sehr den Abstand zwischen einer niedrigere Distrikte beherrschenden Alpe und einer wie der gegenwärtigen, wo die Stunden entfernten Schaufelspitze und Pfaffen-Kamp südlich, Daun-Kar, die hohen Fretil und Grind östlich, dann der Gaisten - Schran - Bock und Ferner-Kögl nördlich ihre größere Hoheit bewiesen. Im Tale kann man dieses alles nicht berechnen, man muss sich auf die Eingebornen und der Gegend kundige Männer verlassen; allein diese wissen weniger von Übersichten und Höhen, als wo ein gut Stück Wild zu finden sei, und somit basta alle Auskunft. Den schönsten Hinblick gewährt übrigens westlich das Oez- mit den Höhen des Pizen-Tals [Pitztal], wo tausendfältige Schattierungen in das rohe Chaos der Eiswelt übergehen und ein Tableau bilden, welches nur Tirol zu ordnen vermag; dann nordöstlich das Stubai-Ruz-Tal, dem man es ansieht, dass mehr als ein Naturfreund zur Sommerszeit aus Innsbruck herein walle, um Erholung aus seinen Herrlichkeiten zu saugen, für die trüben Wintertage der Hauptstadt.

Alpenwiesen und Wälder, welche durch die Entfernung wie grüne Hüte mit Feldsträußchen über den braunen und grauen Felsenkörpern sich ausnehmen, deuten eine Volksparade; der durchziehende Bach scheint ein Milchstreif, welcher an ihren Füßen sich hinzieht, die Durstigen zu tränken, welche für diesen Besitz zu kämpfen verstehen. Die Eisspitzen der Gletscher gleichen vorragenden Türmen einer unermesslichen, in Schnee versunkenen Riesenstadt, in der nur noch Geister und Gnomen hausen.

Lange durften wir auf dem länglichen Schneerücken nicht zögern, es war 8 Uhr; emsiger berührte der Sonnengott mit seiner Glutfackel die Zinnen der Polarhöhen; ein Eiskegel um den andern erglühte, schien sich aufzulösen im vulkanischen Feuer und dann herfallen zu wollen über die tiefere Schneewelt, um aus ihren Massen ein Meer schmelzend, die Welt zu ersäufen! Hier und da zersprang schon das Eis, wie die Saiten eines musikalischen Instrumentes, welches die Sonnenhitze nicht verträgt; der helle Ton sprach als Warner den Abmarsch.

Hinab ging es etwas schlechter; doch weil wir im Zickzack kletterten, so war nur das Fürchterlichste, der Hinabblick in die grundlose Tiefe, die uns entgegen gähnte. Gleich lästig war der Glanz, welcher durch die Sonnenstrahlen an den Eiswölbungen sich reflektierend, unsere Augen quälte. Glücklicher Weise waren wir diesen Plagen bald enthoben, denn um 10 Uhr – wenn gegen Ende September die Tageshitze auf solchen Höhen erst zu entstehen pflegt, standen wir schon am Schneeufer des

blauen Lackensees.

Wir mussten die stündige Wanderung, vom Fuße des Gletschers bis hierher, über ein enges Schnee-Tal (Fernerbach-Tal genannt) ausführen, von dem ich nichts behaupten kann, als dass es unmöglich ist, ein wilderes und wüsteres zu finden. Schnee, Eisbrocken und Felsstücke lagen so durch einander geworfen, als wären sie mitsammen kürzlich den Wolken entstürzt. Tiefer grenzend lag die im hohen Sommer von Alplern benützte Alpenfläche Gräbe ebenfalls bereits unter Schnee.

Der eingrabende Bach, früher in drei schönen Kaskaden herabspringend, zwang uns nunmehr öfter – ihn zu übersetzen. Da ich bei diesen gymnastischen Übungen meinem Führer, der überdies mit seiner kleinen Pfeife wieder vollauf zu tun hatte, einen mäßigen Vorsprung abgewann und nun um einen Felsen bog: meldete der vorkletternde Hund etwas Verdächtiges. Ein Ruf beweist mir die Gegenwart eines Menschen. Ich eile vor und erblicke – einen jungen, aber furchtbaren Blickes entstellten Mann, wie er eben [mit dem Gewehr] auf Duna anschlägt. »Halt!« rief ich dem verwilderten Nimrod [Jäger] zu, »halt, oder der zweite [Schuss] gilt dir!« Trotzig bleibt er stehen, wie der Fels, welcher ihn trägt, mit ruhiger, doch Verzweiflung ausdrückender Miene, schussfertig auf mich oder den beruhigten Hund. »No wosch mogscht, sollma mitsom schworzschoissen [wildern]?«

Jäger und Wildschütze.

Ich: Wir wollen einander nicht aufs Leben gehen, aber du darfst mir auch nicht schaden.

Der Wildschütze, welcher mich erforschen mochte, sah mich durchdringend an, schlug mit dem Gewehrschaft an die mit zollhohen Sohlen und Steigeisen versehenen Stiefeln und bohrte mit dem starken eisenbeschlagenen Stocke in dem lockeren Sandgerölle. »Wonnscht m'r Feind bischt, so schau, dasch ma unsch nimmer finden!« Nach jedem Schritt sich umsehend, ging er, bis Schussweite ihn plötzlich zwischen Steinkegel verbarg.

Lehner schien ihn zu kennen und geflissentlich zu zögern, um demselben auszuweichen. Er habe ein Eisen fester schnallen müssen, erwiderte er meinem Verweise wegen seiner Langsamkeit. Er wollte sich durchaus einer Antwort auf das ihm Erzählte entheben; als ich ihn aber darüber fragte, meinte er: um sich und anderen nicht zu schaden, wäre das Beste, verdächtige Geschichten zu vergessen; das Unglück kenne keine Grenzen, zur Rache oder Rettung. Was Wunder, wenn ich jenen Fremdling für einen Erzbösewicht hielt? – Die spätere Bekanntschaft wird zeigen, was er alles ist.

Noch anderthalb Stunden, unter der blauen Lacke, muss man sich ohne Weg in dem nicht viel milderen, aber dennoch von Alpenfichten etwas beholzten Tale helfen. Die gähe Abdachung macht, dass man wider Willen so bald ins Tal zu gelangen, verwünscht. Äußerst interessant mögen im hohen Sommer die hier herumliegenden Sennereien einladen; gegenwärtig sah man die Hüttchen kaum einige Schuh den Schnee überragen; wo die Wiesen dazu lagen, konnte nur Lehner mir zeigen. Weniger den Veränderungen der Jahreszeit unterliegen die preiswürdigen Wasserfälle, sie nötigen, wenn man noch so viele gesehen, zum Stillstand. Einer (Lehner nannte ihn

Bockssprung),

welcher links, ungefähr nach stündiger Strecke unterhalb des Sees, sein Wasser dem Hauptbache zutreibt, verdient das Stückchen Weges, um den 10 Schuh breiten Wasserfaden, in einem einzigen Bogen mit solcher Gewalt 30 Klafter niederwölben zu sehen, dass man rückwärts trocken unter ihm durchgehen und zugleich das Überraschende eines Wasserschleiers genießen kann, welcher Felsen und Bäume der Kluft deutlich darstellt. Tiefer unten, rechts vom Stubai-Tale, kommt man zu einer noch denkwürdigeren Werkstätte der Najaden [Quell- und Wassernymphen]. Der

Sulzbach,

seinen Reichtum beweisend, entstürzt 80 Fuß breit den zweimal höheren Felsenbollwerken mit wahrem Donnergetöse; dem Wanderer bangt für seine Sicherheit bei der Alpenwände merklichem Rütteln. Im silbernen Schaume bricht die Farbe des Lichts; seit Jahrtausenden verjüngt sich der Fall, der Granit kämpft eben so lange, um durch beharrliche Kraft Frieden sich zu erzwingen; aber nie wird das Element sich versöhnen! – den ewigen Krieg befahl die strenge Natur. Wenn man bei ersterer

Kaskade lachen und jubeln mochte, so presst sich tiefer Ernst bei dieser in die Seele des Wanderers.

Auf einem flachen Steine las ich die mit Rotstift hingeschriebenen Zeilen. »Wohl getan, dass du dich Rasender in dieser abgeschiedenen Kluft verbirgst.«

A. Strenhelm 1825.

Ich pinselte daneben mit schwarzer Ölfarbe:

Wem der Busen freudig schlägt,
Wem das Herz sich dankbar regt:
Der wird bei wilder'm Kampf besteh'n,
Und froh der Schöpfung Pracht erseh'n.

Lehner, welcher nicht buchstabieren – geschweige denn römisch zu lesen verstand, machte komische Glossen und frug um Inhalt dieser seltsamen Haken. Ich erklärte ihm den Sinn jener Deutung. Beifällig schmunzelte er Zufriedenheit, meinte aber, ich sollte von der lieben Mutter Gottes und dem heiligen Sebastian etwas mit einfließen lassen, dann würde das Ganze recht gut passen

Herzlichen Abschied sprach ich den Kaskaden und Höhen, sie waren alle mir Freunde! – Innere Beklemmung lispelte, dass ich nie wieder hierher kommen würde. Nach ihnen mich umsehend, als wollt ich sie mitziehen in mein liebes Vaterland, winkte mir ein Alpengipfel um den andern Lebewohl; wie Karten schoben sie sich hinter einander zusammen; das Alpenspiel war geschlossen, nachdem des Tales enger Raum denen Riesen den Zutritt verbot. Der einzelne

Weiler Ranalt

grüßte uns als erstes Asyl der Ermüdung. Zwei Stunden vom Eissee und 50 Schritte von Schneelagern entfernt, ist er gewiss ein erfreulicherer Fund für Reisende, als Wohnort für den Besitzer.

Die vierfüßigen Bewohner schienen uns mit voller Choral-Musik und einzelnen Bravour-Arien beehren zu wollen. Geiße, Schafe, Kühe und ein ausgiebiger Stier erweiterten in gräßlicher Harmonie ihre Gurgeln;

sie mussten sich alle taub lärmen – oder von Taubheit heilen wollen. Der Alpler gab die Ursache dem kürzlichen Abtriebe von der Alpenweide, welche diese Freigeister im Stalle nicht sobald vergessen können. Es waren also Klagegesänge, welche mich wirklich eher, als manche meisterhaft in Städten abgehaltenen, zu bitteren Tränen würden bewegt haben, wenn ich länger hätte beiwohnen müssen.

Es war 1 Uhr, als wir nach genossener herrlicher Milch die gutmütigen Bewohner in ihrer verschwenderisch geheizten Stube verließen. Der kennbare Gangsteig, obgleich noch immer steil niederführend, wurde jetzt besser; Lehner, mir nun überflüssig, erklärte, dass er zwar gleich mir nach Fulpens [Fulpmes] müsse, um einige Eisengeräte daselbst zu kaufen, dass es aber mit seinem Marsche keine Eile habe und er sich ein Mittagsschläfchen erlauben wolle, die verschwärmte Nacht einzubringen. Eigentlich möge ihn die Maß starken Branntweins niedergezogen haben, welche wir von Oberlengenfeld mitgenommen, und er beinahe allein ausgetrunken hatte. Was doch Gewohnheit alles bewirkt! Ein Mann mit Kropf und Speckdrüsen – Bergsteigen, Tabakrauchen, Branntweinsaufen, und keine Spur einer schädlichen Einwirkung davon! – Den verdienten Lohn steckte er in seine Stiefel, damit ihn der bleierne Schlaf vielleicht nicht darum bringe, und kroch ins Gebüsch, der bräunenden Sonne sein zartes Fell zu entziehen. Das meistens auf eine halbe Stunde sich erweiternde Tal gewinnt zusehends an Leben. Bei den Weilern

Falbeson und Folderau

bemerkt man wohlgefällig, dass rege Menschenhände Feldungen anzulegen wussten, welche den Fleiß nicht von sich weisen. Wenn auch die fast unersteiglichen Felsenwände beiderseits kein Brot – sondern Granitmassen (der oft in Granitschiefer übergeht) sind: so tragen sie doch auf ihren breiten Rücken hie und da Holz mit abwechselnden Wiesenflächen, aus denen das Vieh reichliche Nahrung zieht. Von einigen niedrigeren tönte Glockengeläute bestätigend herab, die höheren waren ohnedies bereits außer Wirkung.

Seltene Ehrlichkeit.

Ich wähnte, in dem 6 Meilen langen Stubai-Tale heute noch viel Weges rücklegen zu können und wanderte, obgleich das nahe Innsbruck im Kopfe, dennoch schnellfüßig an den gewechselten Ufern des Ruzbaches [Ruetzbach] hinab. Da komm ich von Ranalt nach anderthalb Stunden zum Weiler Folderau [Volderau], welcher ebenso wie die vorhergehenden, seinen Reichtum in der Viehzucht hegt. Den Fall des schäumenden Mischlbaches [Mischbach] zu prüfen, welcher von schwindelnder Höhe seinem Felsengrabe zustürzt, will ich mein vortreffliches Fernrohr zur Hand nehmen – und fühl es verloren! Weniger des Wertes, als weil ich's seit acht Jahren auf allen meinen Exkursionen äußerst befriedigend benützte, schmerzte mich dessen Verlust. Dennoch kann ich diesen Zufall – glückliche Fügung nennen, weil er mir zwei Beweise verschaffte, dass Armut nie zu Lastern verleiten müsse und der Verdacht des Menschen oft nur auf seiner Außenseite hafte.

Zu Ranalt, als ich von der Aussicht des Ferners mit dem Alpler sprach, nahm auf die Bitte des Letzteren, Lehner das vergoldete Rohr aus meiner Ledertasche; es wurde also nicht wieder hineingetan. Obgleich seit 12 Uhr nachts die vierzehnstündige Wanderung keineswegs einen Weg dreimal zu machen gut hieß: so rang ich doch nach Überzeugung, ob der Verlust von Vorsatz oder Vergessenheit herrühre?

Ich beflügelte die Untertanen [die Füße], den Weg aufwärts nicht beschwerlicher als zuvor hinab zu finden; es ging hart, aber doch. Nach drei Viertel Stunden war ich schon beim Weiler Falbeson; eben trat der barfüßige Sohn meines vorigen Gastwirts mit dem Rohre aus diesem Häuschen; er hatte sich darin um mich erkundigt und wollte eben weiter nachlaufen, damit ich zu meinem Eigentume gelange. Der halb betrunkene Lehner nahm es den Kindern nicht ab, und so hätte sich der arme Junge eher eine Lungensucht aufhetzen können, als mich zu ereilen, wenn ich den Verlust unwahrnehmend, nicht rückgekehrt wäre. Ich fragte, wie weit er wohl damit gelaufen wäre, wenn er mich nicht gefunden hätte? »Bis nach Neustift sei ihm vom Vater befohlen worden, weil dort die erste Kirche sei und der hochwürdige Pfarrer sich gewiss bemüht hätte, mir das Verlorne zurückzustellen.« Nun muss man aber wissen, dass bis dahin drei starke Stunden erforderlich seien, und der Vater von mir erfuhr, was dieses teuerste meiner Reiserequisiten koste. Wer wird sich bei solchem Herzenszuge einer Freudenträne schämen?

Ich reichte dem guten Jungen, welcher notwendig seinem braven Vater ähneln muss, einige neue Zwanziger; er erschrak bei deren Glanze, weil ihm des Vaters Verbot einfiel, nichts anzunehmen, wenn er mich fände. Nicht ihm, seinen Geschwistern sollen sie gehören, erklärte ich; dankend sprang er nach Hause.

Mögen diese Anachoreten [»Zurückgezogene«] sich immerhin mit Schnee und Ungewitter herumbalgen, sie werden durch diese Nachbarn nicht verdorben! – Ich vergrub mich so in Gedanken über die Abarten der Menschengröße, dass ich dadurch meine schöne Kaskade vergaß. Erst beim Weiler Gasteig erkannte ich, dass ihr noch ein schärferer Blick gebührt hätte; sah aber auch, dass hier – freilich mit genauer Not, Leiterwägelchen passieren könnten und meine Füße bei Entgang dieser wohltätigen Überhebung, mindestens Rast bedürften, um nicht *banquerott* [ermattet] zu werden. »Fünf Uhr – ein Stündchen kann mir nützen!«

Sonderbare Bekanntschaft.

Ruhe und Schlaf vereinen sich bald, wenn sie beide hintangesetzt wurden. Duna weckte mich, Schwärze deckte das Tal, der Grasteppich schwamm im Abendschweiß, kein Stern lichtete dessen Kristallperlen; ich staunte, die Nässe nicht gefühlt zu haben, bei der empfindlichen Kälte; es war acht Uhr. Ich kramte meinen Besitz zusammen, um sobald als möglich unter Dach zu kommen, den Mann übersehend, welcher auf der Straße in einer Entfernung von 60 Schritten mich betrachtete und die Ursache von des Hundes Bellen war. Jetzt galten sie ihm abermals erneuert, und ich nahte, des Fremden Begehren zu erfahren. Ich müsse süß geträumt haben, weil mir dies Bett so wohl behagte, war der Anfang. Die Stimme schien bekannt, doch wusste ich nicht, wo ich sie bereits gehört. Ich fragte um das nächste Wirtshaus, weil ich ermüdet und so hungrig mich fühle, dass ich rasend werden könnte. Also weit her Landsmann? forschte er. Ich erzählte ihm den heutigen siebzehnstündigen Marsch. Er misstraute meiner Versicherung: ohne geheimen Zweck und gutes Regal [hoch dotierter höherer Auftrag] diese Beschwerlichkeiten unternommen zu haben. Vertrauter wurden wir auf der stündigen Wanderung durch das mehr beackerte und breitere Tal, wo nächst der aus neun Häusern bestehenden Gemeinde Kreßbach [Krössbach] beiderseits auf den Höhen im etwas reineren Nachtlichte sich Hüttchen verrieten.

Nun machte er mir den Antrag, wenn ich mit gutem Stück Fleisch, Glas Branntwein und reinlichem Bette Vorlieb nehmen wolle: so könne ich dies bei seinem Schwager erwarten, welcher zwar kein Wirt ist, aber herzlich gerne jedem Menschen zu dienen sucht.

Der Antrag gefiel mir, wir lenkten vom Bache ab und wanderten auf der Höhe einem einzelnen Hause zu, dessen matt erleuchtete Fenster noch das Wachen der Familie verbürgte; auch sah man unten schon die Lichter des netten Dorfes Neustift aufglänzen. Jetzt rutschte die Schlittenkufe des Mondes über die Schneerücken heran; ich sah meinem Gefährten ins Gesicht – und erkannte den Wildfang des Fernerbachtales. Ich muss gestehen, dass mich Schauer befiel und Zweifel peinigten, was zu beschließen wäre? Er wusste dies, drückte mir die Hand, und die Worte »mir sand Männer« wirkten mehr, als wenn er geschworen oder geflucht hätte. Dennoch konnte ich mich eines gewissen heimlichen Gefühls nicht erwehren, und selbst die Gegend schien mir plötzlich durch die Phantasie ins Gräßliche verzogen. Kahle schroffe Felsen grinsten hier wie Gespenster einer Hölle mit ihren bleichen Gesichtern von der Höhe herab; jenseits türmten sich Berge, vom Monde noch nicht berührt, gleich mitternächtlichen Mördern schwarz unkennbar verhüllt; ferne färbten die letzten Strahlen der längst gesunkenen Sonne ein pyramidenförmig in die Wolken steigendes Schaffot.

Verworren war das Bild, verworren meine Stimmung, und so trat ich in die glühende Stube. »Bring enk an Goscht, brennts on, ol zwoa san m'r hungri.« Das Weib, wenn Kröpfe zieren – sattsam ausgestattet, wunderte sich über mein Eintreten und griff mit beiden Händen zugleich unter den abgenützten Hut, um in den Haaren – Gedanken zu suchen. Ihr Mann, zwar noch in den Jahren der Kraft, trug im Gesichte den Stempel der Leiden und Not, die Kinder, halb nackt mit dürren Armen, schienen alle an Epidemie zu leiden, das Kleinste, ohne Kleidung, wälzte sich mit einer Katze unter der Ofenbank. Noch eine Bank, gelbe Truhe, vier Stühle, ein Tisch, Kruzifix und Gewehr, an der Wand aufgehängt, ein langer Hänguhrkasten ohne Werk und ein sehr breites ekelhaftes Bett waren die sämtlichen luxuriösen Mobilien. Rauch des brennenden Kienspans und der im großen Becken verdunstende Viehtrank verdunkelten das spärliche Licht und machten den Aufenthalt in dem kleinen und niedrigen Gemache unerträglich. Wahrlich ein würdiger Pendant zu meinen früheren phantastischen Ideen.

»Wird enk a Fleisch und Supp bringa«, sprach des Hauswirts schönere Hälfte und verließ das Gemach; während ich schon meinen Hunger längst gestillt fand und mich lieber wieder heraus sehnte. Ich verwarf den Kien, zündete Wachslichter an und ersuchte, die Türe etwas zu öffnen. Der Schützen Schwäche kennend, beschenkte ich beide mit 12 Patronen feinen Scheibenpulvers und allem Bleivorrat, den ich besaß. Jedes Kind bekam einen neuen Silbergroschen, um der Familie die Idee meines etwaigen Reichtums zu benehmen.

Dadurch vertraulich gemacht, klagte der Hausvater: dass nebst dem Jahre 1809 eine spätere Viehseuche sein ganzes Unglück begründete; dass er früher als Holzknecht monatlich sieben Gulden Konventions-Münze erworben habe, nun aber seit längerer Zeit dieser Verdienst versiegt sei; dass er mitunter von höchster Not gezwungen, auf Erlegung eines Wildes allein oder mit seinem Schwager auszöge, bei Ertappung die fürchterlichste Strafe erwarten könne, und oft drei auch vier Tage ununterbrochen auf Bergen umherklettern müsse, um nur nicht ganz leer rückzukehren. Aber, unterbrach ich seine Elegie, da möchte ich doch weit lieber zu Hause bleiben und etwas Unbedeutendes arbeiten, als so beschwerlich und strafbedroht umherklettern! »Jo wonn i d'r hoam bleib, orb'rt i und hon nix z' essen.« Jetzt kommt die Mundköchin mit dem Bemerken: das Essen sei bereit. Der Tisch wurde gefegt, irdene Teller, zwei Paar schlechte Essbestecke, drei Horn-Löffel von ordinärster Gattung, pechschwarzes, verschimmeltes Brot und Milchsuppe aufgesetzt. Ich versichere, dass der anfänglich betäubende Ekel mich nun in Abwesenheit der schmutzigen Kinder, bei Besichtigung der reinlichen Suppe und beim Gefühl meines zurückkehrenden Hungers ziemlich verließ. Ich kostete anfangs neugierig und furchtsam, wie von einer vergifteten Speise, genoss aber dann selbe, dem lebendigen Beispiele neben mir gemäß, zunehmend beherzter. Besonders schmackhaft fand ich das Stück Rehkeule, welche einfach geröstet und mit dicker Milch begossen war; unverfälscht und gut konnte ich das Wasser nennen. Verdächtiger blähte mich die Neugierde des Bauers, welche mich über Tische um die Eigenschaft und Verlässlichkeit meines Hundes, um Kugel- oder Schrottladung der Büchse, um meine Lokalkenntnis der Umgebung und wirkliches Alleinreisen oder vielleicht nur heutige Trennung von Kameraden befragte.

Jetzt, nachdem wir gegessen hatten, kam der Tross zum Tische, ich machte gerne Platz. Das Schlucken und Plätschern war grässlich; Hände waren die natürlichen Esswerkzeuge, und in schleuniger Bemühung war der Wettkampf vollendet und die Schüssel geleert; nun wurde gebetet, und die Kinder warfen sich allesamt in das hier befindliche Bett. Weil, sprach jetzt der Bauer, d'r Herr möchte a schlofen.

Sie. No? –

Er. I moan er isch müd'r als mir (wir)! – Wonscht mogscht?

Sie. No meitweg'n!

Sie verließ das Zimmer, und der Bauer bedeutete mir, dass ich ein Bett, ein schönes, reinliches Bett bekäme und ihm folgen solle.

Durch die Küche, über eine Stiege, kletterten wir zur Dachkammer. Ein hölzerner Stallriegel war das künstliche Schloss und ließ willig in sein zu bewahrendes Heiligtum, das Licht verlosch; »was soll das?« frug ich erstaunt. Der Wind habe es ausgeblasen, versicherte er, ging und brachte bald ein anderes. Es seien keine Gläser in den Fenstern (im Diskurse fortfahrend), und er pflege sie erst bei zunehmender Kälte zu verschlagen, man schlafe so besser. Mit dem gewöhnlichen Wunsche holperte er die Stiege hinab. Ich fand es sonderbar, hier, wo auf den Höhen umher ewiger Schnee hauset, unverwahrte Fenster in einer Schlafstube zu finden, während man sich den ganzen Tag unten vom Rauch und Dunst verzehren lässt; sollte dies Nachlässigkeit oder abhärtender Gebrauch sein?

Ich hatte nun die schönste Gelegenheit, Betrachtungen anzustellen. Dieses Gemach war höher als das untere und nahm den ganzen oberen Raum des Häuschens ein; auf drei Seiten offene Fenster, zwischen denen ein wollener Sonntagskittel und schwarzer Hut der Bäuerin aufgehängt war; etwas roher Flachs und Erdäpfel lagen in einer Ecke; selbe bewachten ein paar juchtene Stiefel und gleiche Schnallenschuh der Bäuerin, welche gewiss keine Hühneraugen drückten, weil ich sie bequem über meine Stiefel anziehen konnte. Aus Ruten geflochtene, zum Tragen eingerichtete weite Körbe, zwei Stühle, eine ungehobelte Bank, nebst einem sehr hoch aufgetürmten Bett, waren die seltene Zierde des Pallastes, welchem als Parfüm der Wohlgeruch einiger frisch gegossener und am Boden ausgebreiteter Käse nicht mangelte. Ich traute meinem Duna einen gewöhnlichen Nachappetit zu und band ihn daher lieber an die Türe fest. Nun wollte ich mein Lager besteigen, staunte aber, die grobe blaue Zwilchtuchent kaum erheben zu können. Wenig Mühe kostete mich die Untersuchung; ich fand sie mit Moos, die Pölster aber mit Wolle, Ziegenhaaren ec. angefüllt.

Wahrlich! es bedarf wenig Überredungskunst, sondern nur etwas Erfahrung, um überzeugt zu sein, dass man träumend das realisiert fühle, womit uns lebendige Ideen früher folterten. Aus einem Gewirre von Raub, Totschlag, Blutgerüst weckte mich nach paarstündigem Schlummer, Duna's fürchterliches Bellen. Mechanisch ergriff ich den Stockdegen und sprang in die Mitte des Zimmers. Wagenrasseln, Kettengeklirr und ein erzwungen scheinender Husten bestätigten das vorhin geträumte Bild einer Mördergrube und jagte mich mit emporstrebenden Haar an das offene Fenster. Was gibt's? schrie ich mit mächtiger Stimme hinaus und erblickte im reinen Mondenlichte zwei Männer, wie sie einen zweirädrigen Karren über den Graben vor dem Hause hinüber hoben, während das Weib an einer Kette ziehend, ihnen zu helfen sich mühte. »U blei nur ruebig und schlof, mir roas'n nur um a Hulz und kemen bald«, sprach der Hauspatron, und das Kleeblatt entfernte sich. Ersteres befolgte ich, doch letzteres war mir jetzt schon unmöglich. Sie werden wohl, grübelte ich, eine irgendwo versteckte Beute holen, oder vielmehr (weil mir der Karren bepackt schien) die unlängst errungene an einen sicheren Ort zum Verkauf bringen; keineswegs aber um Holz gehen, was man hier nicht bei Nacht ängstlich nach Hause zu schaffen braucht; also doch nicht ganz aufrichtig! – Nun erst erinnerte ich mich, dass der Wildschütze ohne Gewehr nach Hause kam, was er sich schwerlich würde haben abnehmen lassen, und daher einen bekannten Schlupfwinkel vermuten ließ.

Der gestrige lange und angestrengte Marsch hatte mir zum erstenmale einige Fußblasen gezogen. Ich übte also mein gewöhnliches Mittel, die Gehkraft zu schärfen, durch Einreibung der Füße mit starkem Branntwein, dem ich etwas Seife beimischte; öffnete aber erst nach einer Stunde darauf die abgetöteten Blasen und legte zwischen die Fußhaut und frischen Socken etwas welke Birkenblätter. Dieses einfache und unschädliche Mittel wird sich jedem Fußwanderer, wenn er es anwenden will, bewährend empfehlen; so wie es mich bekanntermaßen einmal in den Stand setzte, als Wette 30 deutsche Postmeilen in drei Tagen folgenlos zurückzulegen, und eine ähnliche Aufgabe für die Zukunft nicht bang zu unternehmen.

Nunmehr hatte ich keine Muße, länger zu verweilen; die feuchte Luft und Morgenkälte fühlte ich hier wie am Marsche, und die sechs Wanderstunden sollten mir das Mittagsmahl zu Innsbruck je eher je lieber würzen. Gestern um diese Zeit (5 Uhr) sah ich bereits Tageshelle, aber da stand ich um 5000 Fuß höher dem Horizonte und verfolgte ihn noch mehr hinan; nun galt's der zunehmenden Tiefe, und jetzt sollte ich verweilen?

Nichts was Bemerkung verdiente, als dass drei Töpfe, eine Reine, die zwei Paar Esszeuge, drei Löffel, eine Schüssel, zwei Teller, ein Glas und ein Krug das sämtliche Geschirre der Diogen'schen Haushaltung ausmachten, enthüllte mir der heutige Tag. Ich wollte die Kinder nicht wecken, gab in den leeren Krug meinen schuldigen Dank und verließ das Haus, nur von zwei Geißen gesehen. Noch ärmer kam mir beim Rückblick das Häuschen vor, noch bedauernswerter die Familie: Arme Leute! Was soll euch im langen Winter erhalten? Geht und ernähret euch heute, vielleicht verhungert ihr morgen! Im Hinabwandern sah ich, dass auf dem Firmament ringsherum gewaltige Wolken hangen, und die schönen Tage bald seltener würden. Der Oberberger-Wildbach [Oberbergbach], welcher aus Nordwest beim Weiler Auten mit zwei Vorplänklern die Ruz [Ruetz] anfällt, und der aus Südost gleichfalls zerstörungssüchtig herbeieilende Pinnes- oder Herzebnerbach vergrößern nun ungemein die Wassergewalt des Haupflüsschens, so zwar: dass die Einwohner des Dorfes

Neustift

den ungewöhnlichen Entschluss – eine steinerne Einfassung des bestürmten Uferbeetes – lobenswert in Ausübung brachten. Es wäre zu wünschen, dass dieser seltene Fleiß den Ruzbach dauerhaft bändige, die spärlich erhaltenen Feldungen zu verschonen.

Neustift bietet außer den 15 Häusern, welche mit dem des Wirtes die artige Kirche umstehen, einen besonders schönen Rückblick ins Tal. Eben stieg der Tag aus seinem goldnen Tore; die Dünste flohen dessen Anblick; in Jugendfülle glühten die bleichen Alpengreise; heiter spielten an ihren Füßen die grünen Enkel, und auf diesen begann das rege Leben der Menschen in tausendfach nährender Luft! – Eine Morgentoilette wie diese, könnte deren fade Besuche in Residenzen auf immer schließen, wenn dort die lange Weile nicht auch Tändeleien unterhalten hieße.

Neder, Ameis [Omes?] und Medraz sind von Neustift auf stündiger Strecke die anmutigen Weiler, welchen die fleißige Besorgung der Felder in diesem Talbezirke obliegt. Die Ernten waren bereits längst eingebracht, die Äcker wieder frisch gepflügt, nur einige Flecke mit Garten-

Das Stubaital.

früchten und schönem Hanf verrieten, dass Boden und Mühe gleiche Anrühmung verdienen. Noch immer vermehrt neuer Zulauf die schon zum Übermut entwachsene Ruz; beim Dorfe Fulpens [Fulpmes], wo ebenfalls ein bedeutender Rekrut – der Schlickerbach zu ihr stößt, will sie schon durch gewaltiges Toben in ihrem Felsenbeete sich das Ansehn eines Flusses erlärmen. Was ihr hier nicht gelungen, glaubt sie später, unterhalb des schönen Dorfes Mieders, durch Revolution bezwecken zu müssen; doch davon später. Das große Dorf

Fulpens [Fulpmes],

welches zwar wenig Ackergrund in seinem Bereiche hat, aber desto mehr mit Eisen- und Stahlarbeitern angepfropft ist, deren bunte Erzeugnisse sowohl im In- als Auslande weit herum reisen: kann man wohl ein eisernes nennen; und die schöneren Häuser, welche reichen Fabriksbesitzern gehören, sind, weil diese eben daraus ihren Wohlstand zogen, also wirklich von Eisen erbaut!

Während mich der Wirt mit frugalem Frühstücke zu dem vierstündigen Marsche nach Innsbruck stärkte, bereitete Zeus einen ausgiebigeren Morgentrank für die tote und lebende Welt. Es war vergebens, den regenschweren Wolken zu enteilen; eine Weile noch hielt sie der Wind zusammen, bis alle herbeikamen, welche zu diesem Ungewitter berufen; nun platzten sie nach einander und gossen ihren reichlichen Vorrat strömend herab. Ich war an das Zimmer gefesselt, hatte aber die volle Übersicht auf die tätige Ruz und den ihr zustrebenden kleineren Schlickerbach. Es ist unglaublich, wie schnell die Flut wuchs, das Beet erseufzte, Bäume und gleich gewaltig mitgerissene Felsstücke gaben ihm einen fühlbaren Stoß um den anderen. Jetzt schwangen sich die Wogen hinaus über die Grenzen der Bescheidenheit; die hohen Ufer schwanden, ein See lagerte sich auf ihren Rücken und wusch dort und da felsige Kammern darein. Die Brücke zitterte, mehr noch der sie überschreitende Pilger, welchen die Angst nicht ruhen ließ, und der nun auf ihr sein nasses Grab befürchtete. Grässlicher zusehends würgte der Strom, die Wut färbte ihn gelb und braun, er kannte sich nicht mehr! In wilden Sätzen übersprang er Zeit und Raum, um als Empörer, vom bleibenden Zufall begünstigt, durch einen kräftigen Sieg über den ewig herrschenden Inn, jeden Gehorsam zu brechen.

Sechs Stunden musste ich diesem Schauspiele Geduld opfern; jetzt hatten sie ausgetobt, die Heere der Wolken; friedliebend baute Iris ihre Zauberwölbung über das Tal, das sich ihrem Willen fügte und freundlich aufsah zu der mit Phöbus im Bündnis stehenden Regenbogengöttin. Die Alpen hatten wieder frischen Schnee, einem Kapitalisten gleich, dem abermalige Glückstreffer den Reichtum mehren. Nur die Wälder konnten sobald den Krieg nicht vergessen; aus ihnen qualmte neblichter Dampf, stieg zur Höhe und schien um Rache zu rufen: wie die abgebrannten Dörfer und Märkte, welche nach den Schlachten sich ausbreiten zum Jammer, und denen ihr schwarzes Ansehen nur Flüche bringt, weil der Prasser die Verarmung nun fliehen muss.

Ruz [Ruetz] bach-Verwüstungen.

Ich ging am oder vielmehr im linken Ufer des Ruzbaches, weil bisweilen von der Straße nichts [zu sehen] und bisweilen mehr Wasser darauf zu durchwaten war, als ein mäßiger Bach betrug. Schön müssten sich in sanfter Tagesruhe die jenseits vor dem ansehnlichen Dorfe Mieders zwischen Gebüsche klappernden zwei Mühlen anmelden; aber der Waldrasterbach, welcher von der holzreichen Höhe niedereilend, jenen Geschäftigen Stimme und Nahrung gibt, sprach jetzt Trotz und Hohn dem Kleinlichen und überbot seine Kräfte, um kurze Zeit selbst wie ein Mühlwerk zu brausen.

Von dem nun durchschrittenen Dorfe Telfs [Telfes] angefangen, gegen den Weiler Gallenhof, zeiget die dreiviertelstündige Strecke alle rachsüchtigsten Verwüstungen des Baches vereint, deren ich bei Neustift erwähnte. Man glaubt, wieder einem frischen Gletscherbache zu nahen, welcher alle Gesetze der Natur, alle Barmherzigkeit ableugnet; nur für sich benützt er das Tal, zu seinem Spiele, zu seiner Zerstörung! Hie und da sieht man, dass zwischen den Gebüschen einst Wohnungen gestanden; wie und wie oft die Ruz sie abriss, bis der trotzende Menschenmut verzagte, sie zu erneuern und diesen Tal-Distrikt in der Nähe von Innsbruck lieber veröden ließ, als ewig und fruchtlos mit Elementen zu ringen: mag Derjenige wissen, welcher die Welt überall fruchtbar nennt. Ich meines Teils war froh, der Steinbollwerke und Lacken des verwünschten Weges enthoben und neben dem Weiler Kreit [Kreith] auf besserem Wege zu sein; so wie am

unteren Schönberge,

nach zwei Stunden, abermals einen Schlupfwinkel vor dem wieder beginnenden Regen gefunden zu haben. Der gesprächige Wirt wies mir Platz und Tisch, wo Hofer mit seinen Volkshauptleuten zu sitzen und sich zu beraten pflegte. Unzählig eingeschnittene Buchstaben zeigten das Verlangen eben so vieler Personen, auf diesem Tische – auch zu arbeiten!

Ich wollte wegen der anderthalbstündigen Wanderung nach Innsbruck hier keinen tagelangen Landregen abwarten. Gefesselt hielt mich jedoch einige Augenblicke die hochgespannte Schönberger Brücke, welche die beiden Ruz-Ufern mit der Poststraße vereint, auf der ich nun im

Silltal

der Hauptstadt zustrebte. Der mutigen Wellen schäumende Kreise drängten sich unten durch den ihnen angewiesenen Raum; sie brüllten, weil ihnen der fremde Zwang eine beschränkende Erniedrigung schien und stürmten um Freiheit – um ihr voriges Recht! – Treulich ahmten ober ihnen einst Menschen dieses nach. Eine Strecke tiefer, kämpft

Pater Haspinger predigt den Aufstand.

diese, stolz, dass sie 2000 klaftrige Eishöhen erzeugten, mit der sich ihr anschließenden Sill um Rang und Gewalt. Fürchterlich wüten die beiden Alpenkinder gegen einander, als wollte sich jede ein anderes Beet im Felsengrunde brechen; derselbe erbebt, aber trotzt der unerfahrenen

Nymphen nutzlos Verlangen; der am Prenner [Brenner] gebornen wird Sieg und Ehre zu Teil, von dem durch des Landes groß gezogenen Innfluss (dieser soll über hundert Bäche bis Innsbruck bereits verschlungen haben) als Sill unter die geachteten Enkelinnen bald aufgenommen zu werden. Der Heiligenwasser-Bach schenkt weiter unten seinen gepriesenen Besitz der Sill.

Mit Wehmut besah ich das einzelne Wirtshaus, Schupfen genannt, in welchem der heldenmütige Patriot Andreas Hofer und seine würdigen Gefährten die Pläne zur Überrumpelung der feindlichen Haufen 1809 oftmals entwarfen. Damals war das geengte Tal, das jetzt stumm und grün den Wanderer geleitet, der geheiligte Tempel zusammenströmender Helden, die reißender als der erboste Alpenfluss ihre buntgekleideten Massen in gleicher Gesinnung fortwälzten, gegen den allgemeinen Feind des geliebten Vaterlandes und dessen teuersten Sorgenvater. Lauter schlugen die Herzen zum mutigen Kampfe: als die kräftige Stimme der Biederen, als das Poltern der herrlichen Kaskade, welche die noch unbezwungene Sill nahe bei Wiltau (gemeiniglich Dorf Wilten genannt) verherrlicht. Feuriger glühten die Blicke der eng sich pressenden Reihen: als die Freudenbrände, welche rings von den Bergen die Erlaubnis verkündeten, dass noch mehrere der kampflustigen Hochländer am geheiligten Ruhme teil nehmen dürfen! Die hölzernen Wände der Dörfchen Muttens [Mutters] und Natters bekamen Brustmauern von Fleisch und Blut, denen an Kraft und Beharrlichkeit quaderne Wehrtürme beschämt gewichen wären.

Ich stand nun auf des Berges Isel Spitze; links bog sich die lebendige Straße hinab in das Tal, aus dem ich gekommen, rechts wirbelte in tiefer Kluft die kriegerische Sill ihrem Ende zu, hinter mir engte sich die Vergangenheit unkenntlich zwischen finsteren Gebirgen, vorwärts lachte mir über Wiltau's grüner Fläche, Innsbruck als fröhliche Zukunft.

Innsbruck.

Ein Regentag ist keineswegs geeignet, malerische Betrachtungen über die Schönheiten einer zu betretenden Stadt anzustellen, ich verschiebe

Innsbruck, Maria-Theresien-Straße.

sie auf spätere Zeit. Die Wolken, welche jetzt dicht über Innsbruck schwammen, trieben auch noch folgenden Tags ihr Unwesen und ließen deutlicher den erfreulichen Unterschied fühlen, zwischen wüsten Gebirgen oder im vortrefflichen Gasthause über solche Elementarzufälle sich zu trösten.

Da ohnedies die Notierung meiner Bemerkungen und Beischaffung passender Kleidungsstücke mich zu einiger Ruhe zwangen, so war mir die Tagesfrist nichts weniger als lästig, und die heitere Folge desto erfreulicher.

Von der durch hohe Berge auf dreiviertelstündige Talbreite umfangenen Stadt Innsbruck, welche in ihren Mauern so viel Schönes und Gutes verwahrt, ließe sich wohl so manches erzählen; ich strebte aber nicht, ihre Geheimnisse zu plündern, um damit hochtrabend zu prahlen; möge jeder der Zureisenden für seinen Forscherblick eine neue Ausbeute finden, die ihn dann eben so freuen wird, wie wenn der Botaniker in dem Wust bekannter Pflanzen plötzlich ein seltenes Blümchen erspäht. Nur was Fremde, welche nicht so glücklich sind, Innsbruck zu sehen, einigermaßen interessieren kann, erlaube ich mir zu schildern.

Die 12.000 Einwohner besitzen ihre 574 reinlichen und drei bis vier Stockwerke hohen Wohnstätten zum Teile in dem eigentlichen, kaum von der Vorstadt zu unterscheidenden Städtchen am rechten Ufer des Inn, teils in dem am jenseitigen Ufer dieses Flusses ausgedehnten, zur Hauptstadt gehörigen Bezirke Mariahilf, mit der unteren und oberen Innsbrucker-, St. Nikolaus- und Kaiserstraße. Daselbst gewährt die erste Häuserstraße am Strome recht anmutige Behausungen; nur die etwas gegen den Berg zu entfernteren sind wegen der verschobenen engen Gassen und kleinen unansehnlichen Bauten die Anzeiger, dass dort ärmere Klassen ihre Zuflucht wählten.

Zwei Holzbrücken, wovon die obere den Beinamen Höttinger, die untere den der Möhlauer [Mühlauer] führt, verbinden die beiden Ufer; neben der ersteren bringen mehrere hölzerne Wasserröhren von den Quellen der Frau-Hütt-Alpe [Frau Hitt] das herrlichste Getränk in die Stadt. Der Inn wird erst bei Hall schiffbar, aber auf kleinen Flößen kann man täglich von Haminingen [Haiming], Oberhofen und Zierl [Zirl] Brennholz herbeischaffen sehen; die Fahrt soll bei dem unbedeutenden Wert der Fracht nichts weniger als gefahrlos sein. Auf dem Inn selbst wird periodisch Holz geschwemmt; der ungeheure Rechen oberhalb der Stadt, welcher diese Waldtribute auffängt und wegen seiner Riesenhaftigkeit sowohl alljährig bedeutende Reparaturen erfordert, als auch Innsbruck bei Wassergefahr nicht selten in Verlegenheit bringt, macht einen Feind mehr für die Stromfahrer. Nahe dabei befindet sich der Tiergarten, neben welchen die Postraße über Zierl nach Baiern und Schwaben leitet.

In dem Bereiche der Stadt, bei den viel besuchten Dörfchens Rum, Arzl und Mühlen [Mühlau?] befindet sich eine Art Wasserfall, worin malerisch das Räderwerk einer Mühle kämpft, und damit den kleinen

Spaziergang zur Möhlauer-Brücke, durch schöner Kastanienbäume Greisenallee doppelt würzt!

Die Promenade, weil schon jede Stadt für oder wider die lange Weile eine solche besitzen muss, bietet hier der Rennplatz, so benannt von den ehemals daselbstigen Kampfspielen; dabei eine niedliche englische Anlage. Die Burg, zuerst auf diesem Platze von Kaiser Maximilian I. 1494, in gegenwärtiger Pracht aber durch Maria Theresia 1766 erbaut, macht dabei die Hauptfront, an die sich nördlich der Hofgarten anschließt, welcher mir aber trotz einiger verwahrlosten Steinfiguren und riesiger Lärchenbäume in dem Lande der Felsen und Stämme kein Behagen einflößte. Die Einwohner mögen eben so wenig Zuneigung für selben fühlen, weil daselbst außer etlichen der in Garnison liegenden Feldjäger kein Besucher zu sehen war. Der Burg gegenüber prangt das vom Erzherzog Ferdinand 1653 schön erbaute Theater.

Wer von Innsbrucks zierlicher Neustadt dem Berg Isel zureiset, wird daselbst durch die bekannte

Triumphpforte

vergnügt werden. Kolossal wurde selbe aus rotem ungeschliffenem Marmor 1765 vom Magistrate erbaut, zur erfreulichen Ankunft der Kaiserin Maria Theresia, ihres hohen Gemahls Kaiser Franz des I. und Königs Joseph, zur festlichen Vermählungs-Beiwohnung des Großherzogs von Toskana (nachmaligen Kaiser Leopold des II.) mit der Infantin Ludovika, Tochter König Karls des III. von Spanien. Ein großes und zwei kleinere Tore gewähren die Passage über Wiltau [Wilten] nach Südtirol usw., weiß marmorne Brustfiguren der höchsten Herrscherfamilie nehmen sich halb erhaben an den Wänden vortrefflich aus; acht große, weiß marmorne Vasen darauf, erhöhen den äußern Schmuck. Dieses Triumphtor schien mir überdies noch prophezeiend für das Jahr 1809 erbaut und die großen Portraite sich hinverlobt zu haben, um die bildlichen Zeugen der schönen Taten ihrer liebwerten Nachuntertanen zu sein; denn bei diesem Tore hatten sich die wehrhaften Tiroler mit Fässern und Ballen verschanzt, und unter diesen Torbögen führten die fähr-

tekundigen Gebirgler ihr ruhmvoll gefangenes Wild in sicheres Gewahrsam zur Hauptstadt; das Servitenkloster, an welchem nichts auszusetzen,
als dass es für Innsbruck doch etwas zu groß ist, befindet sich nahe
dabei.

Ich konnte mir das Vergnügen nicht versagen, über die einzige Fläche
um Innsbruck – der vom Dorfe Wiltau, den weiland Graf Wolkenstei-
nischen Pallast, wo selbst die merkwürdige Kapitulation am 13. April
1809 statt fand, zu besehen, als könnte ich dem Gebäude die Hoheit
und Würde jener Verfügungen entnehmen. – Die alte Prämonstraten-
ser-Abtei daselbst schien mir nur deshalb interessant, weil ihre mächtigen Grundmauern aus den Ruinen des römischen Veldidena entwuchsen. Der Riese Haymo [Haymon] besiegte seinen Kraft-Rivalen Tyrsus,
erlegte das würgende Krokodil der nahen Sillflusshöhle, und erbaute im
Jahre 680 obiges Stift, um vom tätigen Leben weg, darin als Laienbruder
kauernd zu sterben. Das viel später erzeugte Innsbruck überbot schnell
jene große Kolonie an Zunahme und Wert. Gallwiese und Kematen
westlicher herüberblickend, locken der schönen Lage wegen zur Sommerszeit viele Städter in ihre Gasthäuser.

Goldenes Dach-Gebäude.

Die Patrouille geschah zu den Toren und über die Brücken hinaus, kein
Feind ängstigt den Reichen, deshalb kann man beruhigt die Schätze der
Stadt mustern. »Das goldene Dach, die Klumpen Goldes auf Dächern
in der Hauptstadt! die könnten einen glücklich machen; Haus und Vieh
würde ein einziger Ziegel verschaffen!« schreit der arme Tiroler noch
Jahre lang, wenn er im Leben einmal aus den Eistälern der Drau, des
oberen Inns, Oezbaches usw. nach Innsbruck kam. Allein, wie viele
Häuser und Vieh wären längst zu Grunde gegangen, ohne dass man von
ihnen wüsste, ob sie je da gewesen? Indess dieses vergoldete Vordach am
Innsbrucker Stadthause, das ewiges Wahrzeichen von Tirols glücklicher
Verfassung und Untertansliebe des unvergesslichen Herzogs Friedrich
des IV. ist. Über seinen Verlust der wohlhabenden schweizerischen Be-
sitzungen und natürlichen Geldmangel gaben reiche Feinde Friedrich

den Beinamen: »mit der leeren Tasche«; aber der Herzog bewies, dass, wenn ein Volk will, alle Spötteleien zerfließen! Er belegte das Vordach seiner damalig neu erbauten Burg mit kupfernen Platten, deren Vergoldung 1425 schon 300.000 Gulden erfordert haben soll und bis heutigen Tag mit Reparaturen 200.000 Stück Dukaten übersteigt. Dadurch widerlegte er die Armut des Landes und dokumentierte das Recht des Tiroler Landmanns bis auf heutigen Tag. Nachdem die späteren Landesbesitzer in der geräumigeren, von Kaiser Maximilian dem I. aufgeführten Burg ihren Wohnsitz wählten, wurde die vormalige als Kaserne benützt. Beinahe aber wäre dieses vaterländische Denkmal der nagenden Zeit unterlegen, wenn nicht eine patriotische Aktiengesellschaft das lange unbewohnt gelassene Gebäude durch hinlängliche Reparaturen zum schönen Stadthause umgewandelt und für die Zukunft gesichert hätte. Der Einwohner und Fremden aufrichtiger Dank bringen dem edlen Unternehmen nie ausbleibende Zinsen.

Kunstvoller erhebt sich in der Mitte des Stadtplatzes die marmorne St. Anna-Säule, 1703 von der Tiroler Landschaft errichtet. Eine prächtige Statue aus Bronze ließ sich der fünfte Erzherzog Leopold, wie er geharnischt und das Zepter in der Rechten, mit entblößtem Haupte zu Pferde sitzt, von Heinrich Reinhart 1628 gießen und am Rennplatze vor der Burg aufstellen.

Hofkirche.

Das Merkwürdigste, womit Innsbruck viele Hauptstädte an wertvoller Seltenheit übertrifft, bietet eines ihrer 12 Gotteshäuser. Nur einige Schritte erlaubt sich der eintretende Fremdling in die erhabene Hof- (oder Franziskaner) Kirche; stummes, ehrfurchtgebietendes Staunen fesselt seine Sinne! – Er glaubt sich durch magische Kraft plötzlich in die Versammlung alter Heroen und Könige versetzt, deren 28 aus Erz gegossene, zwischen den Säulen der Kirche, gleich riesenhaft, im gedehnten Oval das Grabmal Kaiser Maximilian des I. umstehen. Auf demselben selbst kniet der hohe Verblichene im vollen Schmucke, und auf den Stufen jeder Ecke des Grabmals sitzt eine der vier Haupttugenden, als wären sie, wie im Leben, so im Tode seine unzertrennbaren Wächter. Die vier Seiten des Grabmals sind durch 16 schwarz marmorne Pfeiler in Felder abgeteilt, welche in doppelter Reihe 24 weiß marmorne Tafeln bilden, worauf halb erhaben die Heldenzüge des großen Monarchen sich darstellen. Da die unzähligen, von ein bis 12 Zoll messenden Figürchen, bei äußerster Akkuratesse die freieste Arbeit und perspektivische Ordnung vereinen und zugleich jede Tafel des Kaisers vorgerückte Jahre treulichst darstellt: so ist es gewiss, dass dieses Kunststück an edler Gefälligkeit vor hundert ähnlichen den Preis erringt und eben so sehr den großen Maximilian als auch die ruhmvollen Künstler verewigt. Alexander Colin aus Mecheln und die Gebrüder Bernhard und Arnold Abel aus Köln am Rhein gaben dem Mausoleum und denen es umschließenden 28 Riesengestalten das Dasein. Kaiser Ferdinand der I. wollte des großen Onkel Taten dem geliebten Aufenthaltsorte bleibend erhalten und widmete dieses Seiner würdige Monument – der neu erbauten (1553) Hofkirche.

Auch Hofers ehrliche Gebeine wurden von Mantua im Februar 1823 hierher übertragen; links in der Nische eines ehemaligen Altars ruhen sie unterdessen, bis Meißel und Hammer selbe für die Zukunft verherrlicht.

Kluft Klam [Klamm].

Innsbruck verlassen, ohne seine Umgebung geprüft zu haben, hieße sich an dem lieben Tirol versündigen. Frauhütt [Frau Hitt, Felsenspitze am Hafelekar], ein kahles und schroffes Alpengebirge, welches sich zunächst der Stadt anschließt und (eben so wie der kahle Berg [Kahlenberg] bei Wien) an Sonntagen von den kletterlustigen Städtern besucht wird, lud auch mich auf seinen hohen Rücken. Verschiedene Hin- und Herwege können eher die vielen Naturherrlichkeiten bieten; ein erfahrener Führer (deren man in den artigen Gasthäusern Innsbrucks zu Dutzenden erfrägt) weiß diese Wanderung auf das Angenehmste zu steigern. In Begleitung Sebastians Hauer kam ich in drei Viertel Stunden über Mariahülf [Mariahilf] auf der Postraße nach dem einzelnen Wirtshause Kranabiten [Kranebitten], dort folgten wir rechts einem Seitenwege in den vorstehenden Wald, von dem ein großer Teil vor 10 Tagen durch Unvorsichtigkeit in Brand geriet und gegenwärtig noch mit seiner lästigen Ausdünstung die Luft verpestete. Bald naheten wir der schauerlichen Bergschlucht Klam [Klamm]; der Gedanke, dass hier die Natur ihre Grässlichkeiten dem Menschen aufs Herz presst, begleitet den Wanderer in das passend benannte Schwefelloch; überhängend, zusammenwachsend, von furchtbarsten Konturen entstellt, ist es nur die Vorhalle zum Avernus [durch den Averner See – »Avernus lacus« – sollen Odysseus und Aeneas in die Unterwelt gelangt sein]. Jeder Schritt in das Innere durchschauert mehr den Fremdling; finster und schwarz zerklüftet sich grässlicher die drohende Höhle, wenn man einige Leitersprossen hinabgestiegen ist in die sogenannte Hundskirche. Hier zwitschert kein Vogel, grünt kein Blatt, das Leben verstummt in dem ewig geblendeten Tage; nur einzelne Tropfen, den Angst schwitzenden Kalkwänden abplätschernd, deuten das Uhrwerk der tätig vorschreitenden Zeit! Kein Begriff gibt den Eindruck dieses leibhaftigen Tartarus [Schattenreich der Verstorbenen] der Alten. Die Schatten ziehen wie die Furien der Hölle über die sich neigenden Formen der vulkanischen Felsen, Tosen des unsichtbar fortstrebenden Sulzbaches lässt das grause Echo gefolterter Verbrecher vernehmen, wie sie die schmerzvollen Flüche ausstoßen ihren verhärteten Peinigern. Alle Schrecknisse reichen sich die Hand; der Folter und Hinrichtung blutbringende Werkzeuge enthüllen versteinert sich deutlich (Hauer nannte mir nämlich einige der Felspartien: die Zange, den Bloch, das Rad ec.); unter den Füßen und über dem Haupte rollet der Donnerlaut stürmischer Winde, welche in den engen Klüften sich verirrten und vergebens herauszubrechen trachten. Endlich dehnt sich die gepresste Passage, wenn man durch die sogenannte Wagnerwand und Lehner den Felsenweg verfolgte. Noch kann man sich von der furchtbar stündigen Wanderung nicht erholen, eine neue Überraschung soll den Pilger wieder zurückwerfen in die vorige Betäubung. Eine Talgegend, zu schön und freundlich als jede Wirklichkeit, färbt sich mit dem herbstlichen Schmucke in zauberischer Runde; der Sulzbach, früher dem Ohr nur als drohender Zerstörer vernehmlich, windet sich nun schlangenförmig durch das liebgewonnene Tal, um länger darin zu verweilen; rein wie die samt'ne Flur silbern sich seine Wellen in dem schlammlosen Steinbeet. Wälder und Wiesen hüpften auf die umgebenden Höhen, den Reigen zu tanzen über der duftenden Tiefe, und gigantische Felsen halten denselben die Ehrenwache. Man wähnt im Feenland zu wallen, wo nach bestandener Probe der gesprengten Pforte des Todes, das bessere Jenseits lohnend sich auftut, alles zu überbieten, was kühne Wünsche ersannen.

Frau-Hütt-Alpe [Frau Hitt]

Wir lenkten rechts auf die Bergwände über steile, aber gefahrlos zu betretende Pfade; ein herrlicher Wald (der Schober genannt) begleitete uns geraume Zeit zu den Prunkwohnungen der Wolken; gelichtete Plätze dazwischen boten malerische Übersichten nach Alpenwiesen und Sennereien, deren höhere bereits ihre lärmenden Bewohner verloren. Aroma duften die umher wuchernden Kräuter, um den rastlosen Botaniker von den Höhen in die Tiefe und wieder abseits zu locken. Auch Schnee- und Haselhühner gibt's, denen der Waidmann so bald nicht die Bekanntschaft verzeiht.

Wie mit des Holzes merklich Schwinden das Leben der verworrenen Alpe sank, stieg die Reinheit ihrer Miene durch des hingestreuten Schnees allmählichen Wuchs. Gras und Schnee gossen langsam ihre Farbe zusammen, bis endlich die ausgiebigere allein blieb. Ich glaubte daran das Bild eines lebensmüden Greises zu sehen, bei dem die dankbare Jugend zögert zu scheiden, um ihrem Großvater den Lebensabend zu erheitern. Wir standen am Scheidewege; ein Schneetal mit vorragenden Kalksteinen, einem gähnenden Rachen ähnlich, welcher mit seinen Spitzzähnen Welten zu zermalmen droht, verwies uns rechts oder links an seine Wände. Letztere hätten uns auf die Sollsteinspitze [Solstein] geleitet, welche von ihrer 1512 Klafter übern Meere messenden Höhe eine überschwängliche Aussicht, vorzüglich nach Baiern bietet, wo die Wipfel der Gebirge dem jener stolzen Alpe unterliegen. Der frische

Schnee war zu tief und locker, um sorglos durchwatet zu werden, wir mussten uns mit der südlich dem Sollstein sich anschließenden Frauhütt-Alpe begnügen, welche über Innsbruck und dessen Begrenzungen im Inntal hinlängliche Ansichten spendet und in dieser Rücksicht von dem Sollstein nicht viel übertroffen wird, weil er nur gegen Norden unüberboten, in den anderen Richtungen ebenfalls hoch in den Wolken strebende Ferner zu seinen Gegnern hat. Ausgezeichnet bleibt er übrigens, indem seine unzugänglichen Klüfte dem allgemein verfolgten Gemsengeschlechte eine Freistätte bieten und diese edlen Tiere heut zu Tage erhalten, obgleich sie schon in weniger umvölkerten Bezirken längst ausgerottet wurden. Auch die Frauhütt-Alpe trug seit dem letzten Gewitter ein Schneegewand; wir mussten die Eisen anlegen, denn der Sommer war vorüber, wo man in Schuhen hinanklimmen kann.

Hauer versicherte, die Alpe eben zum vierzigsten Mal zu ersteigen. Ich glaubte ihm, denn er kannte jede Grube, welche der Schnee geebnet. Die gewöhnlichsten Passagiers wären Studenten gewesen, welche im September aus allen Gegenden, meistens aber von München herbeieilen, durch einen Besuch der Frauhütt, Geist und Gefühl zu stärken. Nur einer wäre bisher verunglückt, welcher am Sattelbüchel der Pflanzen wegen sich verstieg, abgleitend ein Bein brach, und nach einigen Tagen starb.

Da wir die Alpe von ihrer rückwärtigen oder vielmehr nordwestlichen Seite erkletterten, welche weit weniger steil als die südliche ist, so sah man während des Hinanklimmens gar nichts vom Inntale. Steigernd im Lohne wächst demungeachtet die Wanderung und würde mich längst schon zur Bewunderung hinreißen, wenn ich nicht vor einigen Tagen gleiche Punkte berührt hätte; doch das Ziel erringt sich dieselbe desto mehr, welches man auf einer steilen Abdachung nach Norden erreicht. Eigentlich hat das Frauhütter-Kalkgebirge mehrere vorragende Spitzen, wovon einige dort, andere da schönere Übersichten bieten; doch weil keine auf die ganze Runde umher einen ausschließenden Wert behauptet, so müht man sich auch nicht sonderlich, ihretwegen im Schnee sich zu baden. Der höchste Punkt ist aber ein Bollwerk von Steinen, welches der Alpe den Namen und Stoff zu fabelhaften Volkssagen gab; Hauer fragte mich, noch eh wir demselben genahet: ob es nicht aussehe, wie eine ungeheuere Matrone, welche auf der gedehnten Alpe sitze, mit gebogenem Rücken und gestützten Ellbogen, einen Hut aufgedrückt, wie ihn die Oberinntaler tragen? Unaufgefordert würde ich nichts bemerkt haben, so aber kann sich Phantasie leicht Ähnlichkeiten zusammenstellen.

Tirol, eine Familie aus Bergen und Wässern bestehend, bringt gleichwohl des Nordens und Südens verschiedene Frucht; Holz und Metalle tragen seine Alpen und Flüsse; Wild nährt sich zu gerne dazwischen. Die Herrscherin des Landes ist der Fleiß, er strebt über Berg und Tal, behauptet sich überall, nur an rauen Gletschern bleibt die Mühe vergebens, man gibt sie auf und duldet ihre Wut. Je weiter aber die Kultur des Bodens auf die erdreichen Höhen steigt, desto mehr unterliegt sie den Drohungen wankelmütiger Bäche. Doch wenn endlich bei Erdrevolutionen Wogen gegen die wankenden Felsen stürmen, dann entstehen Verwüstungen, wo zuvor die rastlose Tätigkeit geblüht; Berge werden abgespült und lagern sich dort, wo sie der Strom nicht mehr trägt. Mit Klagen wird dann Nichts ersiegt, Kraft erhielt der Mensch, zu ringen mutig in der Tat! Anderwärts muss das verarmte Volk seinen Erhalt suchen, ein festeres Plätzchen wählen zur Lebensfrist; Not sucht alle Adern des Glücks; in des Berges Eingeweide dringt der Mensch, zu erzwingen, was dessen Außenseite versagt. Nur der träge Müßiggang harrt bei Not auf bessere Zeit, bis sie ihn übereilend vergisst und er ohnmächtig vergeht oder ungewöhnt beim ersten raschen Schritte schon verunglückt.

Hier, wo die Winde ungestört wehen und die Luftgestalten wandeln, ist es vergönnt, einen Blick in den Zauberkessel Innsbrucks hinabzuschwärzen. Alle Schönheiten der Natur liegen dort, als kleine Muster dem Fühlenden zur Schau. Pan, Pomona, Ceres, Najaden und die Fluren schmückende Flora verbinden sich auf ihren Gebieten zum Ringeltanz. Das heitere Fest gilt der jugendlich frohen Stadt, welche, obgleich winzig, doch eine glückliche Welt in Miniatur scheint. Mit dem Fern-

Aufbruch der Jäger aus der Sennhütte.

rohr erkennt man die Gassen und Plätze belebt, um die Ständchen und Läden Käufer sich tummeln, Wägen bepacken und entlasten. Die roten Ziegel- und schwarzen Schindeldächer der enggässigen Häuschen schei-nen ein aufgeschlagenes Kartenspiel, in dem Burg und Kirchen die

Hauptfiguren bilden. Zwei mächtige Straßen durchlaufen die Stadt; auf der zu Land schwitzen die Pferde, welche der staubgewohnte Fuhrmann in verschiedener Richtung zur Eile zwingt. Österreich, Italien, Schweiz und Baiern reichen sich handelnd die Hand durch Innsbruck – dem stattlichen Zeugen. Die andere Straße, das Meer verbindend mit den Gletschern der Heimat, schlängelt mäandrisch wie ein munterer Knabe, welcher frühzeitig schon, zur Bürgschaft für große Entwicklung, das gewöhnliche Gleiche vermeidet, durchs väterlich sie ausstattende Tal. Fischer, Mühlen und Sägewerke ziehen vom Inn längst Gewinn, indes er gewaltige Schiffe noch zur baldigen Mannbarkeit vertröstet; wohlgefällig spiegeln sich in seinen klaren Wellenkreisen die Wolken und Alpen, als Belege seiner Entstehung; er pocht auf dieses Herkommen und trägt den Beweis fort durchs hohe Vaterland! An seine Ufer drängen sich Auen, Felder und Wiesen, gleich Verwandten, welche dem lieben Abreisenden das Geleit geben

Um Innsbruck's Ost, Süd und Westen stehen, wie in Karree'n geordnet, in einem Meere von grünem Pflanzenwuchse: Weiler, Dörfer und Märkte mit dem Städtchen Hall, kommandiert von erhabenen Bergschlössern und einzelnen Kirchen, denen Vorgebirge mit hohen, dicht belaubten Hainen als Adjutanten vorspringen, alle aber scheinen dem Oberbefehle der Frau Hütt zu gehorchen. Ausgezeichnet durch Größe und Würde ruht das vieltürmige Innsbruck, mit seinem Wächter im Süden, dem Schloss Ambras, nördlich hält Schildwach das alte Weyerburg, der Wallfahrtsort Heiligenwasser spricht milde herüber von Südost; drohende Miene behauptet Friedberg in sicherer Felskluft. Des Innstroms herbstliche Dünste gleichen in der Ferne feindlichen Fronten im heftigen Streite; man verfolgt sie aufwärts, wo höher und höher gegen Himmel ansteigende Gipfel das Auge beirren, ob es Wolken oder Gletscherspitzen seien.

Wir verließen diese 900 Klafter hohe Alpe, welche bei allen Vorzügen doch keines beständigen Baches Mutter ist, und kamen auf mäßigem Umwege neben der ansehnlichen Zierleralpe [Zirleralm] (wo uns die schauerliche Klamm tief unten links blieb) durch ihr scherzendes [heiteres] Tal an die desto ernstere Martinswand. Wir begnügten uns, deren Bekanntschaft vorläufig gemacht zu haben und folgten lieber dem Bache, der uns von ihr weglockte, damit wir im nahen Dorf Zierl [Zirl] bei Imbiß und Wein, die Plagen der Füße vergaßen. Dieses Dorf wird der romantischen Schlossruine Fragenstein, hauptsächlich aber zur Fastenzeit seines Kalvarienberges wegen von Innsbruckern besucht; auch durchpilgern es viele Andächtige, um auf den hohen, zwei Stunden entlegenen Wallfahrtsort Seefeld zu gelangen. Über Seefeld wölbt sich die Poststraße zum Engpasse Scharnitz, nach Baiern.

Wir verlobten uns auf die

Martinswand,

sie bot ebenfalls, wie alle Wallfahrtsörter, mühvolles Klettern zur Buße. Eine halbe Stunde unter Zierl (und zwei ganze ober Innsbruck) erhebt sich (links wenn man zur Stadt wandert) nahe an der Straße diese vielbekannte Felswand. Ein Wäldchen verbindet ihren Fuß mit der tieferen Straße. Der kleine Martinsbühl, der Wand gegenüber, trägt auf seinem grünen Rücken das gleichnamige Kirchlein und Jagdschloss, welche Kaiser Max oft zu besuchen pflegte, weil er aus den Fenstern des letzteren die Gemsen von der Felswand herabschoss.

Staunen ergriff mich bei genauer Prüfung der Felswand; denn obgleich ich höhere wie diese (300 Klafter) oft bewunderte: so fehlte ihnen doch das Glatte, welches sich auf der Straße wirklich wie abgesägt darstellt und nach seiner Besteigung erst die Kanten und Zacken enthüllt. Fast in Mitte dieser Felswand gähnt die bewusste Max-Höhle – nur als Wohnung für Gemsen; 80 Fuß hoch, scheint sie durch die Entfernung gleichwohl zum Pförtchen erniedrigt. Ein kolossales Kreuz, welches seit dem merkwürdigen Ereignisse Kaiser Maximilians des I. 1493 den Platz darin behauptet, blickt in Gesellschaft Mariens und des heil. Johannes segnend herab. Ausgemeißelte Fugen und einige Geländer sichern den ungemein steilen Weg hinauf. In den Rissen wuchert hie und da Dorngebüsch, dieses war ehemals die einzige Anhalt für Gemsennachkletterer.

Das Wild verblutete, der Jäger verwünscht den durch den Weg nun entvölkerten Platz, und nur der Neugierige erklimmt noch zufrieden die Wand, um in Sicherheit die Vorwelt zu beglossen. Mich hielt sie umstrickt; ich stand am Vorgrund der Grotte, wo Max einst kniend gebetet; ich sah aufwärts über der perpendikulären [senkrechten] Himmelswand zu den Wolken, welche von der Sollsteinspitze herabgaukelnd, auf ihr zu rasten strebten und dann fortgallopierten, wie ein luftiger Strom zum Ungewitter; die Wand schien sich zu neigen, umzusinken, als ich plötzlich in die Tiefe blickte, wo die Bäume, kleinen Federbüschen ähnlich, an ihrem Fuße flaggerten; ich fühlte zum ersten Male Mahnung zum Schwindel. So möge Max, sonst der Höhen spottend, durch den Zufall in Angst geraten sein, dass ihm beim kühnen Sprung in Verfolgung der Gemse hierher, die Zacken des linken Fußeisens brachen. Ein neu ersetztes, ein aufmunternd Wort hätte genügt, ihn sicher zurück zu führen. Wer weiß nicht, dass bei eigener Gefahr, die Verzagtheit anderer den Bedrohten hundertfach foltert? – Max flehte um Erlösung, schaudernd erkannte man ihn, Gefährten und Diener ritten und rannten unter einander und brachten statt Hilfe – Trost zum Tode! Mit der Monstranze nahte aus Zirl der Geweihte, gab den Segen vom Tale aus dem Herrscher und empfahl selben dem besseren Jenseits. Sein weinend Volk rang die Hände, die Anzahl wuchs, aber ihr tatloses Klagen machte nur das Echo empören. Max aber in frommer Demut fiel in die Knie, und das Bild des Gekreuzigten an dem Schwertgriff sich deutend, presste er den stählernen Treuen an die beklommene Brust. Aufgestanden vom stärkenden Gebet, dachte und grübelte er über die Stunden zum schrecklichen Ende. Da leitet Hoffnung neuen Gewinnes, der oft schon hierorts beglückte, den kühneren Wildschützen Zips auf dem Saume der zackigen Felsen zur düsteren Grotte. Staunend, einen Menschen zu sehn, wo sonst nur Gemsen sich sammeln, frägt er, den Fremden nicht kennend: Holla, was machst du?

Ich lauere, entgegnete Max, bis die kommende Nacht mein Leben begräbt; wunderbar! dass der Sensenmann zwei Menschen hierher beschieden!

Frauenplausch am Ortsbrunnen (Telfs).

Zips: Hoho! hat gute Zeit, Kamerad; bin aufwärts geklettert, muss also auch wieder hinab glitschen, ohne aufs Sterben zu denken, das weidlich spät kommen soll! – Hier! nimm das feste Fußeisen, knüpf es haltbar, und gib mir sorglos die Hand; vereint wandeln wir fester. Traue der Kraft! Lass dich die Kluft nicht schrecken; mutig wage den Sprung! – So, nun preise gewonnen das Spiel! – Halt, dem Atem zoll den Tribut! – Fühlst du verjünget die Stärke? Schau in die Tiefe nicht, dem Himmel stehen wir nahe! – Lass rollen die Steine, wir stürzen doch nimmer mit ihnen! – Fasse den Strauch; er reißt! schnell zu dem andern! achte der Dornen nicht! – Recht so; nun strecke die Glieder, und sieh dich um, wir haben die Felswand überlistet! – Leb wohl! nach Hause findest du alleine.

Max: Halt! du Mann mit solchem Mute und größerem Herzen! Denkst du, unbelohnt lässt Max den Mann entweichen, der ihm sein zweites Leben gab? Nenn den Lohn! und wenns die Kron nicht ist, so bürg ich für die Zahlung!

Zips: Einen Menschen half ich retten, des freu ich mich! Dass du der Kaiser seiest – wusst ich nicht, und habe darum nicht mehr getan. Keines Lohns begierig, weis ich ihn zurück; doch glaubst du mir verbunden, so erfülle eine Bitt: Erhalt dich deinem Volk, und jage meine Gemsen nicht.

Max aber nahm den Seltenen mit, und gab ihm Gut und Schwert und den ritterlichen Schlag; damit aber der Name die Tat enthalte, glänzte daraus die Familie der Hollauer (von Holla und lauere) von Hohenfelsen, als geachtet unter den Edlen, lange Jahr in Tirol.

Es wurde Abend, Hauer schien müde des Tagwerks; ich konnte es ihm nicht verargen, mir war aber jede Minute Gewinn; ich entließ ihn; ach alle die herrlichen Umgebungen, welche ich den Frauhütt-Ansichten anreihen müsste, lagen mir ja näher am Herzen, als das frühere Abendmahl; kein Weib, keine Kinder erwarteten mich sehnsuchtsvoll dabei, wie meinen vollauf gesegneten Führer.

Ich maß die Tiefe der Grotte; 25 Schritte durchreichen sie; beiderseits kleben an den Wänden hundert Namen jener Besucher, die daselbst

Wonne genossen; Freunde aus meiner Vaterstadt darunter! Ich grüßte die Buchstaben herzlich, als ständen die Lieben vor mir!

Schwer konnte ich mich trennen, längst färbte die untergehende Sonne das grüne Tal mit Abendpurpur; hinüber floss ein Dorf, eine Kirche um die andere ins nächtliche Grab; die Dohlen kehrten heim in die Ruinen des Schlosses Fragenstein, welches einzustürzen drohte, unter der gefiederten Gäste Zahl; jetzt atmete der Inn freier, sein Plätschern verriet's; der Fleiß ruhte; kühler kräuselte die Luft ums Haupt; der Tag hatte ausgerungen! – Viel der Freuden bot er, aber nur für Augenblicke! wie alles Ungewöhnliche, um sich als außerordentlich zu behaupten.

Nach diesem Hauptgenuss mussten die folgenden Tage an wertvoller Ausbeute weichen. Das ungeheuere

Schloss Ambras

(auch Amras), welches sich am rechten Inn-Ufer auf glattem Rasenhügel, eine halbe Stunde südöstlicher als Innsbruck erhebt, könnte in seinen Sälen und Gemächern die Schätze der halben Welt beherbergen. Allein, seit dem die wertvolleren von da nach Wien übersiedelten und die Baiern 1809 zu Ambras ihr Spital aufschlugen, blieb ihm gegen vorher als Treuestes – die äußere Form. Sie zeigt die Abstufungen von Jahrhunderten und die Kapricen ihrer Bauführer. Der erste Begründer – ist unbekannt; aber im elften Jahrhunderte nannten sich schon die Grafen von Andechs-Wolfertshausen [Wolfratshausen] – Herren von Ambras. Seitdem wurde es oftmals in Brand gelegt, umgebaut, angestückelt ec. Margarete Maultasche [Maultasch] bewohnte es abwechselnd von 1360 bis 1364. Die späteren Besitzer, Herzog Friedrich mit der leeren Tasche, Max [Maximilian] der I. ec., verpfändeten es wegen Geldnot an adelige Familien. Die größten Verschönerungen und aufgehäuften Kleinodien erhielt das Schloss durch Ferdinand II., Erzherzog von Österreich, und zwar in den Jahren 1563 bis 1579. Ferdinand wollte nämlich Ambras – das Geschenk an seine herrliche Gattin Philippine Welser – so viel wie möglich wertvoll machen. Gelehrte und Künstler wetteiferten, um es mit edlem Reichtum zu steigern. Als die Heißgeliebte 1580 starb, erbten es ihre Söhne Andreas, Kardinal von Österreich, und Carl, Markgraf von Burgau. Nach beider Tode blieb es für immer denen Landesfürsten.

Die bewunderungswürdige Bibliothek wurde der Innsbrucker Universität großmütig überlassen. Mit Umsicht vom Direktor Anton von Steinbüchel geordnet, bezaubern die unermesslichen Kleinodien (Ambraser Sammlung) den Besucher zu Wien im unteren Belvedere; und so erübrigen hier nur noch die Überbleibsel als ansehnlich für jene, welche die beiden Ersteren nicht gesehen.

Ambras besteht aus dem älteren und neueren Schlosse. Wenn man durch das Tor des letzteren in den großen Hofraum tritt, so zieht sich dieses im eckigen Halbrund um das alte oder eigentliche Schloss, welches sowohl im Bau als auch im Standpunkt das neuere hoch überragt. Gegenwärtig hat Ambras nichts weniger als ein Ansehen von kriegerischer Festigkeit, und ich glaube, auch in den Zeiten des Faustrechts konnte es nur durch viele Besatzung haltbar werden. Der sanft ablaufende Erdhügel und die nicht zu hohen Ringmauern darauf unterscheiden sich auffallend von den sonst niederdrohenden Vesten [Festungen]; dass aber dieser Platz zu tatvollen Kämpfen geeignet und erkoren sei, bestätigten die braven Tiroler dabei 1809. Rechts im neuen Trakte sind die Wohnungen einiger des Schlosses wegen aufgestellter Individuen, welche auch dem Fremden nach vorgezeigter Erlaubniskarte des Verwalteramts (zu Innsbruck in der Hofburg) alles Vorhandene mit oberflächlicher Erklärung enthüllen.

Links, neben römischen Meilensteinen, welche einst in der Umgebung ausgegraben wurden, kommt man in einen großen Saal, voll mit Rüstungen und Harnischen regierender Häupter und berühmter Feldherrn. Hüllen der Männer, welche einander im Leben so oft feindselig gegenüber standen, bilden versöhnt ein schönes Tableau zusammen. Andere, die in fernen Zonen gelebt und von Ambras nie etwas wussten – prangen als Zierde darin. An jedem Fensterpfeiler steht ein hoher Kasten, mit Humpen, Tafelgeräten, Porzellan-Aufsätzen, seltenen Schnitzwerken, Korallengegenständen ec. zwar reichlich versehen, aber jedes der wertvolleren Stücke hat einen Bruch oder sonstigen kleinen Fehler, der es hier verbleiben machte. Breite Stufen führen vom Hofe zum alten Schlosse hinan. Rasselnd knarrt das Tor, heiliger Schauer behaucht den Wanderer: hundert Türen öffnen sich, um ihm das Wirken und Wandeln der einstigen Bewohner zu deuten. Gras wächst in den Fugen des Hofpflasters, weil es kein Eisenfuß mehr abstreift. Gang auf, Gang ab, zwischen Tapeten-behangenen Gemächern und Bilder-verzierten Wänden wallet die Vorzeit; der Nachkömmling weilt und sinnt und ruft die Geschichte zurück, und errötet mit verstohlenem Blick auf sich, weil er noch so wenig getan! – Waffenstücke zu verschiedenen Kraftkämpfen dienlich: wie Kolben, Lanzen, Schilder, Schlachtschwerter, Streitäxte, Schleudern, Partisanen ec. in schönen Formen zusammengestellt, sind durch ihr gewaltig Gewicht für ewige Zeit des Gebrauchs der Nachwelt enthoben. Ritter, wie sie bei Feierlichkeiten und Bällen unbeharnischt im Prachtaufzuge erschienen, Fahnen, die so manchen Blutbach bezweckten, Helden auf ihren ausgeschoppten Gäulen, welche treu miteinander Sieg und Gefahren bestanden, reizen hundertfach des Altertümlers Gefühl. Der sogenannte spanische Saal, welcher nebst seiner Ausdehnung der schönste vor den beiden anderen sein musste, hat am meisten gelitten. Hundert Betten sollen darin 1809 gestanden haben; man sezierte und amputierte hier die Blessierten; die herrlich bemalten Wände sehen sich nicht mehr gleich. Von allen den tirolischen Landesfürsten, welche trefflich entworfen, in Riesengröße an den Wänden lebten, hat keiner mehr die Füße behalten, wenige nur die Schenkel. Es wäre zu wünschen, dass man diesen still duldenden Krüppeln die mögliche Hilfe leiste. Die kaiserliche Familie in dem Saale des obersten Stockwerks blieb mehr verschont. Von da genießt man auch eine herrliche Übersicht der Umgebung, in den Lust- und Tiergarten des Schlosses, desgleichen auf einen von der südlichen Anhöhe herabgaukelnden anmutigen Wasserfall. Zum Schluss wies man mir beim Rückweg, als besondere Merkwürdigkeit, die Badstube der schönen Philippine Welser; es ist ein kleines ausgetäfeltes Gemach, in das einige Stufen hinabführen, und dessen Boden und Seitenwände (bei vier Fuß hoch) mit Blech beschlagen sind. Nahe dabei befindet sich die Kapelle, welche in der Tat mit allem Anziehenden des geachteten Altertums auf den Eintretenden wirkt; obgleich klein, soll sie doch ehemals die Pfarrkirche des Ambraser Distriktes gewesen sein.

Noch ein Schloss, welches zur Besichtigung reizt, ist das zu

Weyerburg [Weiherburg].

Es liegt am linken Ufer des Inn, nahe bei Innsbruck, unter der Frauhütt-Alpe; doch wenn man diese und Ambras vorerst sah, so wird der mit Bäumen besetzte Hügel und des Schlosses Gemächer und Saal, der im Besitze stehenden Familie von Wörndle, auffallend verlieren.

Charakter der Tiroler.

Nun einige Blicke auf die Tiroler selbst. Um sich einen Begriff von Sitten, Charakter, Neigungen und Handlungsweise des Bergvölkchens zu machen, muss man die heimisch Angesiedelten ja nicht mit den alle Welt durchwandernden Dudlern, Hausierern, Lederwaren-Krämern und dergleichen vermengen; denn diese, als die Schlechtesten, haben eben so wenig Vaterland als herkömmliche Gebräuche; wo sie ihren Gewinn ziehen, dort behagt es ihnen, und bietet ein anderer Platz nur etwas mehr Vorteil, so sind sie gleich dort wieder eingeboren.

Der brave Tiroler verlässt nicht sein Haus – Acker, seine Familie und Berge; daher auch der beharrliche Sinn, diese Heiligtümer zum letzten Blutstropfen zu verteidigen.

Bieder und worttreu, ist er eben so karg im Reden als im Zutrauen; desto mehr öffnet sich sein Herz den Einwirkungen der Religion; die Muttergottes ist Schutzpatronin wider alles Missgeschick. Aber deshalb verlangt der Tiroler nicht, dass die Verehrte alles allein auf sich nehmen und ausführen soll. Er wünscht nur ihre Beihilfe und ringt und strebt – selbst zu vollführen. Ziemlich geneigt wäre das Völkchen dem Trunke; allein seine Armut, seine Häuslichkeit, erlauben kaum einmal des Jahres zur Kirchweihzeit diesen Lockungen zu frönen. An Fleiß mangelt es in Tirol wahrlich nicht, das zeigen seine Flecken Ackergrund, welche manchen Flachländer bannen würden.

Zu Innsbruck sieht man weniger den Mangel, denn wo Wohlhabende schmausen, erübrigen auch Brocken für Arme. Gastfreiheit, Geselligkeit und Zusammenkünfte weichen einigermaßen denen zu Grätz [Graz], doch gründet sich dies weniger auf Kargheit und Fremdenscheue, als dem Wunsche, seiner Familie und dem Hauswesen ganz zu obliegen. Einem feinen Städter möge das am Lande durchaus gewöhnliche Du und der barsche Ton etwas roh oder grob drücken; allein bald gewöhnt man dieses herzliche Zutrauen.

Mit Kraft und Fülle und einer guten Portion Frohsinn ausgestattet, bleiben sich die Bewohner gesegneter und eisiger Täler gleich. Den wesentlichsten Unterschied macht die Lieblingsfarbe und der Zuschnitt ihrer Kleidung, worin sich jeder Bezirk von dem nächsten merklich absondert; doch obgleich ich mehrere gesehen und die männliche Tracht als zweckmäßig mit ihrem Berglande anrühme, so missfiel mir diese doch durchgehends an dem weiblichen Geschlechte. Ihr kraftvoller und für Frauenzimmer beinahe zu starker Wuchs übergeht durch die mit

Karrenzieher (Karrner) in Tirol.

Pelz und Tuch aufgenähten Korsetten und hundert Falten ihrer Röcke ins Plumpe, Unbehülfliche. Dafür erteil ich auch unbezweifelt der männlichen Klasse den Vorrang an einnehmenden Äußeren. Schließlich glaub ich noch bemerken zu müssen, dass in Tirol weit weniger die Kröpfe zur Mode geworden, als in Steiermark und Kärnten.

Hall.

Der Oktoberwind blies zum Abmarsch; rings sammelten sich auf sein Geheiß die Blätter der frühen Kastanien unter den Bäumen, zu ziehen, wohin es ihm beliebt; im Farbenwechsel kränkelte die Linde; Buche und Rusten zögerten beim Kleidertausch; nur die lombardische Pappel erhob sich über den Willen des Herbstes, und die männliche Eiche behielt noch wie vorher den Mut; stolzer erwartete, seiner Kraft bewusst, das immer gleich bleibende Nadelgrün bald auch über diese den Triumph.

Diesen Erdkampf hier nicht abzuwarten, ergriff ich meinen Wanderstock und schlenderte in zwei Stunden nach Hall. Außer der schönen dahin führenden Kirschbaum-Allee, welche von einer Menge steinerner Heiligensäulen strotzt, bietet sich nichts Besonderes. Auffallender war mir die Equipage einer umsiedelnden armen Tiroler-Familie. In der Gabel des zweirädrigen Karrens, worauf mancherlei Pack und zwei kleine Kinder aufgeschichtet waren, ging der ziehende Vater, den vor ihm angespannten Steinesel immer antreibend, das Weib aber half im Antauchen bei den Leitersprossen, und zwei größere Kinder machten die bittenden Vorläufer an Vorübergehende.

Hall, dieses komische Städtchen mit 4400 Einwohnern, sieht noch eben so aus wie vor einigen hundert Jahren in den Zeiten des Faustrechts. Seine Ringmauern, finsteren Wachtürme, kleinen Einfahrtstore und selbst seine 380 Häuser ließen nicht von einander. Da die Stadt auf einer Anhöhe liegt, so ist es natürlich, dass die Gassen schief und holperig sein müssen; desto weniger noch wird auf deren Erhaltung gesehen; pflasterlos sind nicht nur Lücken und Gräben; Nachts, wo keine Lampe glimmt, drohende Widersacher dem Fußgeher, sondern, was beinahe unglaublich scheint, das vom Salzberge neben der Solenleitung die Stadt (zur Reinigung?) durchfließende süße Wasser ist nicht einmal allenthalben mit Brettern gehörig verwahrt. Ich empfand diese Nachlässigkeit, als ich abends vom Salzberge rückkehrend, dem Gasthause in einer andern Gasse zuschritt und plötzlich in jenen Wasserkanal bis über die Knie hineinpumpte. Allein, diese Sorglosigkeit der Straßenkultur scheint das Gute bezwecken zu wollen, dass ernstlich die Einwohner des Nachtschwärmens sich enthalten, und da (einige Invaliden beim Spital ausgenommen) kein Mann vom Militär oder Polizei der Sicherheit wegen die Stadtbevölkerung vermehrt, auch Diebe und Spitzbuben verhindert werden, überall hinzudringen und bei Verrat sich schnell aus dem Staube zu machen!

Sehenswert sind die acht Pfannhäuser, deren sechs mit Steinkohlen geheizt werden, dann die ergiebige Salmiak-Fabrik. Da von Hall aus der Inn erst schiffbar wird und nebst Steinkohlen-Transporten nach Kufstein ec. auch (bei vorhandener Ladung) alle 14 Tage eine Wasserpost nach Wien abgeht, so sind am hierortigen Werftplatze immer einige Schiffe im Baue.

Um den Salzberg besehen zu dürfen, muss man vom Salinenamte eine Karte ansuchen. Durch die Herrngasse hinaus, wandert man auf der merklich zunehmenden Berghöhe anfangs neben Feldern, die bereits ihrer Bürden enthoben lagen, auf guter Straße dem Waldberge entgegen. Beiderseits erheben sich die Gebirge, grüner und färbiger wird ihr Rücken, der Bach ergötzt zur Rechten mit seinem verschiedenartigen Geschwätze, nun sammeln sich Bäume um den Pilger – man ist nach zwei Stunden bei der zierlichen Bergmeisterswohnung; ein Gasthaus für Knappen und Fremde bietet Erholung dabei; man benötigt sie, um nun den steilen Pfade auf den dichtbewaldeten Salzberg hinan auszuführen. Für den Besucher haben wiederholte Ähnlichkeiten weit eher belehrenden Wert, als dem Leser. Hier, wie im Dürenberge, wird der Gast herumgefahren, die Wöhren werden beleuchtet, die Schachttritte gewiesen ec. ec.

Auf der Spitze des Salzberges, von vorbenannter Bergmeisterswohnung anderthalb Stunden entlegen, erhebt sich die Kaiserspyramide, von Holz und weiß angestrichen. Seine Majestät, unser allergnädigster Kaiser, vom edlen Zwecke beseelt, jede Segensquelle Ihres Landes zu besichtigen, bereiseten den Salzberg im Jahr 1815. Dieses Angedenken des höchsten Besuchs bleibend zu sichern, soll eine Säule von Stein die hölzerne, welche ohnedies schon einmal abbrannte, bald ablösen.

Die Aussicht ist allumfassend und dürfte beinahe derer von der Frauhütt ähneln. Über dem von Mandel-Berg und Speckkohr [Speckkar] zusammenlaufenden Dammrücken führt ein Gangsteig zum Haller Anger hinab ins Isartal. Ewige Waldungen schauen von dort herauf, als wären sie aus Amerika übersiedelt; von allen Höhenpunkten ist dies der waldreichste in Tirol.

Den Rückweg wählte ich über die Thaurer-Alpe herab zur

Ruine Thaur.
Berg und Schloss gleich wüst, bieten nichts als mäßige Übersicht; die Ferne leiht ihnen zum Danke dafür ein wichtigeres Ansehen. Die Veste muss, nach ihrer Zerstörung zu schließen, bei 200 Jahre in Ruinen liegen; von Gewölbern zeigt sich gar keine, von Zimmern und Türmen nur wenige Spur. Die Ringmauern stehen begrast und beholzt wie ein Sterbender, dem der frische Jugendanzug die Furcht vor dem Tode hemmen soll; ein Bach eilt darneben von der Höhe zum gleichnamigen Dörfchen nieder, er sehnt sich aus der toten verlassenen Höhe nach Menschen. Wo sind die Lehensritter der mächtigen Grafen von Andechs, welche bei Jagd und Kampf die Kräfte maßen? wo die Humpen, deren lärmender Klang zur Freude lockte? – Durch die nebelschwitzenden Täler rief das Horn die Waffengefährten über Berg und Tal des tauigen Forstes; enger wurde das Panzerhemd über des feurigen Ritters sich wölbender Brust, wenn es Ernst oder Schimpf galt mit Lanz und Stahl; ihre Kämpfe blieben bei den Zeitgenossen, keine große Tat, kein ruhmwürdiger Name ist auf die Nachwelt von diesem 800jährigen Schlosse übergegangen; es gleicht nun manchem unwichtigen Greise, von dem man nach seinem Hinscheiden nichts weiß, als – dass er lange lebte!

Originelle Baxerei [Balgerei].

In einer Stunde darauf saß ich im Gasthause zu Hall. Zunehmender Lärm in der Schankstube draußen lockte mich aus meinem Zimmer dahin; Salzträger und Bäckergesellen, um einen Tisch gelagert, erschöpften sich daselbst in Behauptungen, mehrere Salzsäcke als der Nachbar zu tragen. Der Streit wurde heftiger, und die gewöhnliche Folge – Schlägerei. Augenblicklich machten die Anwesenden – nicht Mittel zum Frieden, sondern Platz, damit die Kämpfer sich nach Herzenslust herumprügeln könnten. Der einige Mal schon zu Boden geworfene und wieder mit neuer Wut angreifende Schwächere überfloss schon von Blut. Mir wurde bange um den Armen, ich suchte einige der Gaffer zum Mitleiden und Schlichtung des Kampfes zu bereden, erhielt aber die lakonische Antwort: »Wenn des Besiegten Vater sich nicht darein mische, so ginge es mich doch gar nichts an!« Staunend wandte ich mich zu jenem Benannten, welcher auch noch ein kraftvoller Mann von 45 Jahren war, und fragte, ob er seinen Sohn wolle erschlagen lassen? Aufgebracht erwiderte dieser: er hätte keinen Sohn erzeugt, der mit Fausthieben könne umgebracht werden, dass dieser am Boden liege, wäre seiner Unkenntnis im Anpacken zu danken; übrigens schadeten ihm die Schläge gar nichts, sondern würden ihn nur fest und für die Zukunft geschickter machen! Ich sah, dass hier Halbmenschen beisammen wären und verlangte vom Wirte, er solle die Wache holen lassen. »Von Innsbruck vielleicht?« lachte er, »denn zu Hall haben und brauchen wir keine, es ist ja ein ruhiges Städtchen!« – Nun war der Streit beendigt, der fassbreit-schulterige Sieger wischte sich den Staub vom Büffelhaupte und zeigte mit einer Art Stolz denen Anwesenden die fortglimmende Tabakspfeife, dass er sie beim Kampfe fortwährend benützt hätte. Alle lobten ehrfurchtsvoll seine Kraft und Geschicklichkeit, der Vater meinte, übers Jahr würde dennoch sein Bube siegen, und man zechte fort beim Tische und ließ den später friedfertig zukommenden, vom Blute zwar gereinigten, aber mit verschwollenen Augen und rot und schwarzen Beulen reichlich geschmückten Gegner am Gesellschaftstisch Platz nehmen! Mag sich jeder aus diesem wahren Ereignisse eine Schlussfolgerung ziehen.

Innfahrt.

Überaus wünschenswert war mir die Wasserreise durchs Inntal; da aber, bei dem verringerten Kommerzwesen, bis zum Abgang der Ordinären wenigstens 8 bis 12 Tage abgelaufen wären und ich dann diese Reise durch das herrliche Tal unaufhaltsam, einem Flüchtlinge ähnlich, hätte zurücklegen müssen, so beschloss ich, meinen früheren Entschluss auszuführen, einen Kahn samt Nötigem zu kaufen, und meine oft bewährte Donau-, Traun- und Enns-Alleinbefahrung auch auf dem Inn zu versuchen. Von Braunau war ich bereits zweimal hinabgerudert, ich erfuhr, dass auch diese Strecke von Hall bis dahin bei Fahrtkunde gefahrlos sei.

So abenteuerlich dieses Unternehmen vielleicht scheinen mag, so ist es dem ungeachtet nichts weniger als ungewöhnlich, oder bei oftmaligen früheren Fahrten, gefährlich. Dem Kahne die gleiche Richtung zu geben, den Hübeln (Haufen genannt), worüber der Untiefe wegen keine Schiffe fahren können, klug auszuweichen, nicht zu spät in die Nacht zu fahren, hauptsächlich aber beim Nebel oder Wind zu rasten, sind nebst Nüchternheit die Haupterfordernisse. Dafür hat man bei solch separater Fahrt keine Grobians von Schiffern beständig im Sacke, kann landen wann und wo man will, und die ganze Reise kostet – ein Bagatell!

Hat man Gelegenheit als Passagier auf ein großes Fahrzeug zu gelangen und ist man der Alleinreise überdrüssig, so bekommt man überdies für sein Schiffchen die Hälfte des Preises zurück. Jedoch will ich deshalb ja niemanden dieses Unternehmen anempfehlen, der nicht schon oft und von Jugend an auf Flüssen und Wellen gerungen; denn auf Teichen oder Seen zu fahren erfordert wohl mehr Anstrengung als auf beflügelten Strömen, die selbst den Nachen fortreißen, aber desto mehr Umsicht und Genauigkeit des Leiters notwendig machen. Überhaupt soll selbst der sachkundige Dilettant wenigstens für kurze Zeit sich einen wohlerfahrenen Fährmann dingen, um den Wasserzug und (da jeder Fluss andere Handgriffe lehrt) die Vorteile zu ersehen; freilich schwimmt ein Nachen sicherer als ein belastetes Schiff, aber deshalb muss man gleichwohl sein Leben berücksichtigen!

Sieben Gulden Reichswährung verschafften mir einen neuen festen Kahn, zwei harte Ruder und einen Ländhacken. Ich empfahl mich dem launigen Neptun, dem lieben Innsbruck und jener unvergesslichen Alpe und stach vereint mit dem gedungenen Schiffer in die Wellen. Pfeilschnell zog uns der Strom; 25 Minuten genügten dem stündigen Wege nach

Volders.

Ich entließ meinen Lehrmeister, welcher sich im Dorfe für seine Lektion ein Frühstück möge geholt haben, während ich, den Duna beim angebundenen Kahne als Wächter befehligend, die herrliche Klosterkirche zu beschauen eilte. Mehr als der solide Bau der kleinen Kirche, welcher von Hippolytus Guarinoni begründet, 34 Jahre gedauert, und 1654 beendigt wurde, verdient die vortreffliche Malerei des berühmten Knoller Erwähnung. Das große nun aufgehobene Kloster dabei ist nur mehr von zwei veralteten Serviten bewohnt, welche den Rest der zum Absterben hier belassenen Geistlichkeit ausmachen.

Den Stürmen der Zeit war dieses Kloster weniger als jenen der Menschen 1809 ausgesetzt. Einst sicherte sich dazumal eine Anzahl Feinde innerhalb seiner festen Mauern und Tore, Kugelpfiffe aus den Fenstern sollten die Tiroler verscheuchen. Allein der erfinderische Mut hieß schnell eine große Tanne fällen und den gewaltigen Stamm, von 40 Männern geschwungen, als Mauerbrecher gegen das Tor gebrauchen; nach etwelchen Stößen sprang Riegel und Pforte, und die blauröckigen Vögelein bekamen nun plötzlich Sprache, um Gnade zu flehen; eine Tirolerdirne, welche ihren Landsleuten Wein in einem Fässchen zutrug, bemerkte lakonisch, als eine feindliche Kugel das Fässchen durchlöcherte, man möchte im Trinken sich beeilen, widrigenfalls bei mehreren Treffschüssen der Wein ausrinnen müsste, da sie nicht alle Löcher mit zwei Händen zustopfen könne.

Eine Viertel-Stunde südlicher von Volders steht in einer düsteren Talschlucht auf felsiger Höhe das romantische

Bergschloss Friedberg;

wie im Norden Äcker und Wiesen zu seinen Füßen spielen, so überragen es jenseits ernste Wälder, und der Voldersbach, der schneeigen Mahlgrubspitze entsprungen, ruft Krieg und Zerstörung im Tale.

Ich genoss die angenehmste Fahrt bei der Windstille des heiteren Tages. Dörfer, Weiler, Ruinen und Schlösser, worunter Thierburg links

Stadtleute im Dorfgasthaus.

und rechts Rottenburg, der einstige Aufenthalt der heiligen Notburga, boten zwischen Waldbergen verengt, deren Felswände bisweilen aus dem schwarzgrünen Nadelholz vorsprangen und mit den fahlen Kornfeldern zu ihren Füßen malerisch stritten, so viele und mancherlei Ansichten bis

Schwaz.

Ich besah diesen einst wohlhabenden, nun unglücklichsten aller Märkte, der sich allein von dem Jahre 1809 noch gar nichts erholt hat und für die Zukunft daran verzweifelt. Von den vielen Häusern haben wenige bereits ordentliche Dächer; wie alte Ritterburgen stehen die Mauerwände von Rauch und Brand geschwärzt und hohläugig mit ihren ausgebrochenen Fenstern in den öden Gassen. Männer, Weiber und Kinder erbetteln kniend von Vorüberreisenden nicht Abhilfe – sondern Fristung des elenden Daseins! Die schöne mit Kupfer bedeckte Pfarrkirche ist Zeuge von dem ehemaligen Wohlstande des bedeutenden Marktes und der Gräuel- und Mordszenen, welche an ihren Türen durch barbarische Menschenverstümmlung in dem Volkskriege wüteten. Noch muss ich bemerken, dass hier im April [Mai] 1809 mehr Getreide verbrannte, als die heillosen Feuerwerker zeitlebens zu verprassen im Stande gewesen wären.

Nächst Schwaz, auf der Straße nach St. Margareth, befindet sich das nun aufgelassene Silberbergwerk, welches nach seiner Entdeckung 1480 so reichhaltig war, dass Herzog Sigismund durch die Menge daraus geprägter Münzen den Beinamen des Silberreichen sich erwarb. Mehrere Jahrhunderte nagten davon Gewinn, nun liegt der Berg ausgetränkt und zerstört wie ein ehemaliges Galakleid, das durch späteste Abnützung unkenntlich und unbrauchbar im Winkel vermodert. Währenddessen ich die schanzförmigen Hügel, Gruben und verfallenen Stollen besah, holperten einige Wägelchen mit Holz- und Obstladungen vorbei, die Bespannung machten durchgehends Kühe, welche überdies noch sehr schwach und klein waren! –

Bei meiner Rückkehr fand ich Gesellschaft am Ufer; die Leute konnten nicht begreifen, wie und warum der vierfüßige Passagier im Nachen so groß tue? Andere meinten, der Hund müsse viele Künste wissen, weil ich – seinetwegen herumreise!

Von mehreren Handwerksburschen, die mich um Mitnahme baten, willfahrte ich einem Färber und einem Müller. Letzterer war mir ein wackerer Rudergehilfe, aber sein schwäbischer Dialekt quälte eben so meine Ohren, als der andere, ein Franke, von den Gebräuchen der Rhein-, Rhone-, Saone- und Marnefahrt angenehm zu erzählen wusste.

Oben: Schloss
Matzen bei Brixlegg.
Links: Schloss
Kropfsberg, rechts:
Schloss Lichtwehr.

Der zusammengedrängte Inn hat nun bis Breitenbach gar keine Insel, zieht pfeilschnell und erfordert wenig Mühe. Auf überhängender Felsenhöhe links erkennt man bald die von den Rittern von Schlitters im elften Jahrhunderte gestiftete Benediktiner Abtei Georgenberg; ein springender Waldbach ertönt zu seinen Füßen fortwährend zu dessen Lobe, bis beim Dorfe Stans der Inn selben zum Schweigen bringt. Eine Stunde südlicher [!] erhebt sich gleichfalls am linken Innufer das

Schloss Trazberg [Tratzberg],

merkwürdig weil es 52 Säle und Zimmer und 365 Fenster haben soll. Im nahen Tiergarten erlegte (wie ich zu Jennbach [Jenbach] erfuhr) vor Monaten ein Raubschütze aus dem Dorfe Stum [Stumm] im Zillertale einen Hirsch; die ganze Nacht wanderte er mit der seinen Rücken nicht wenig drückenden Last zur sechs Stunden entlegenen Heimat. Nachmittags, als er eben von seiner Anstrengung sich erholte, machten ihm Jäger nebst Begleitung einen Besuch und brachten Hirsch und Wilddieb in Gewahrsam. Des Waidmanns dressierter Hund hatte nämlich die Fährte des Wildes entdeckt und leitete seinen diensteifrigen Herrn über alle die Steigeln und Umwege, welche der arme Bauer geflissentlich wählte, um den Nachstellungen zu entgehen, und doch dabei die Fasch zu hemmen vergaß.

Am rechten Innufer, Trazberg gegenüber, steht isoliert vom Dörfchen auf einem Fels die schöne Kirche St. Margareth wie eine Festung wider lästernde Angriffe. Rings herum und hinab gegen Straß [Strass] strotzen die Gärtchen von Obstbäumen, noch glänzten die Spätäpfel an Zweigen; Weizen und Gerste gedeiht gleichfalls reichlich in dem fruchtbaren Boden.

Links dampft die Luft Glut, der

Jennbach [Kasbach],

satt des Kampfes mit dem Räderwerke vom gleichnamigen Dorfe, versteckt sich im Inn; wichtige Eisendrahtziehereien und viele Schmelzöfen machen diesen Ort erheblich. Der Jennbach, welcher vom Hahn-Kampel, Buchauer- und Romsen-Berge erzeugt wird, macht bis ins Dorf herab schöne Kaskaden; ein romantischer zehnstündiger Weg führt von da neben dem Achensee durchs Achental in die beiden Täler des Manguald[Mangfall]- und Isar-Flusses nach Baiern. Unter der hölzernen Innbrücke beim Dorfe Rotholz mag die erste gefährliche Wasserstelle sein, sie hat einen solchen Zug auf das dritte linke Joch, dass man vollauf zu tun hat, mit dem kleinen Fahrzeuge auszubeugen. Bei

Straß [Strass]

öffnet sich rechts hinein das malerische Zillertal, ober diesem Dorfe, auf bewaldeter Felsenhöhe, harret das Wallfahrtskirchlein Brettfall auf

Besuch; sein rotes Türmchen streitet mit der Lieblingsfarbe der nachbarlichen Kirchtürme; ehemals war es eine Einsiedelei, worin schon im elften Jahrhunderte die Ritter Dietrich und Gerwein von Schlitters wohnten. Die reißende Zill [Ziller] und der kleine, beim Landgerichte Fügen auf Waldbergen sich sammelnde Fügerbach [?] wandern darin wie Vater und Sohn eng an einander, bis der Inn ihre Zeremonien vernichtet.

Vom Felsen der Schlossruine Kropfsberg sah ich weit ins Zillertal gegen Kapfing hinauf; merkwürdig ist, eine Stunde von vorbenannter Veste, daselbst das Dorf Schlitters, wegen der Entstehung seiner beiden Kirchen, wovon nur die untere durch die Baiern 1809 abgebrannt liegt. Zwei Brüder, Ruprecht und Edmund von Schlitters, welche gemeinschaftlich dieses Gut nach ihrem Vater ererbt, sich aber so unversöhnlich hassten, dass sie einander nur zu sehen ergrimmten, bauten sich, weil beide sehr religiös waren, jeder eine besondere schöne Kirche.

Nun einen Blick auf meinen Standpunkt – die

Ruine Kropfsberg,

welche im zwölften Jahrhunderte bereits Innfluten und Kriegsknechte zu ihren Füßen stürmen sah, die Herzoge von Meran in ihren Mauern aufnahm und die Vasallen des Gaues kräftigte. Ein Karren löste nun den andern ab, zum Bausteine vom Denkmal klassischer Vorzeit, zu Rossschwemmen und Viehställen zu holen: Wären sie in den Strom gefahren! die armseligen Werkzeuge des charakterlosen Maklers, der die Ruine um einige Gulden erhandelte, um vom schnöden Gewinne in einem neuen Sonntagsrocke zu glänzen! Es ist nicht möglich, dass dieser ein Tiroler sei! – Wahr! das Ländchen bedarf keiner Burgen, keiner Schanzen, Gewalt mit Gewalt zu vertreiben, Mut und Alpen ersetzen den Einwohnern jene; aber um ein Stück Eisen, um einige Steine, welche Tirol nicht mangeln, sich an heimischen Zeugen tatvoller Jahrhunderte zu vergreifen, ist ein Diebstahl, den man am geheiligten Besitze begeht. Wem die Flamme für seiner Vorfahren ruhmvoll Wirken erlosch, ist ein Bastard!

Von Kropfsberg nach

Rattenberg,

sind Münster links und Beixelegg [Brixlegg] rechts die wesentlichsten Dörfer; letzteres betreibt einigen Silberbergbau, der gleichnamige Bach [gemeint ist der Alpbach] flüstert ihm ewigen Beifall. Hier, und eine Viertel-Stunde tiefer, bei Rattenberg, führen zwei Brücken über den Inn. Rattenberg, das mit seinen 800 Einwohnern nun nichts weniger als ein stolzes Ansehen behauptet, war bis 1809 eine Festung; die Feinde wollten nach erster Besiegung des Volkes nichts Festes im Ländchen mehr dulden und zerstörten die Werke! Ob ihr Zweck dadurch gelang? – wie eine Schneespekulation!

Von Hall bis hierher braucht man zum Gehen neun, zu Wasser, wenn man nirgends landet, vier Stunden. Beweis genug von der ungemeinen Schnelle des Stromes.

Jenseits Rattenberg, am linken Ufer, neckt trotz der Friedensmiene der erhabenen Kirche von Mariatal der aus 43 Bergquellen zusammen-geraffte Brandenberger-Achenbach gewaltig den reizbaren Inn. Die schöne Poststraße läuft fortwährend von Volders bis Wärgel [Wörgl] zur Rechten; jenseits ist zwar auch ein Fahrweg, aber unkultiviert und von Ort zu Ort ausbiegend.

Während ich zu Rattenberg etwas verweilte, meldete sich ganz sachte ein Herbstregen; zum Glück schwieg der Wind, sonst hätte ich die Fahrt schon beendigt. Die drei Seen links bei Moosen verloren ihren Glanz, der Markt Breitenbach eine Stunde unterhalb davon wurde allmählich ein Generalname für die trüben Vermehrer des Inns; am rechten Ufer spielten die Dörfer Rathfeld [Radfeld] und Kundel mit dem zwischen ihnen weilenden Schlösschen Nieder-Eich [Niederaich] – blinde Kuh; nur der angeschwollene Kundelbach klagte über Beklemmung dabei. Die vier kleinen Bäche, welche von

Kundel [Kundl] bis Wärgel [Wörgl]

zum Inn stoßen, erzwecken durch Blähen nur Spott; desto mehr rächt seiner Gefährten Schwäche die ausgerüstete Wärgler- oder Winacher-Ache; doch der Inn, welcher allen gebietet, weiß auch sie in Fesseln zu werfen. Der Ort Wärgel war ein wichtiger Kampfpunkt 1809; das hier breitere Inntal und die davon wegleitende Bergstraße durch den Achenengpass über Brixen nach der Stadt Kizbühl [Kitzbühel] gaben wechselseitig Gelegenheit zu Treffen, Überfällen und Schlupfwinkeln. Unter dem hochprangenden Maria Stein, welche als Kirche und Veste zugleich im gotischen Stile herabblickt, macht der Inn zwischen den Dörfern Angeb [Angath] und Oberlangkampfen eine ungemeine Krümmung nach Norden, um das am rechten Ufer ausgebreitete Dorf Kirchbühel [Kirchbichl] ellbogenförmig zu umfassen; bei schwer geladenen Schiffen mag hier die Wendung Anstrengung kosten. Nun sieht man schon

Kufstein,

das Felsgetürme, wie es die ernsten Blicke herumsendet im enger und engeren Tale. Die Dörfer Nieder-Breitenbach, Unterlangkampfen, Bleibach [?] und das Schloss Zellerburg links, am rechten Ufer die Weiler Pichlwang [Bichlwang], Endach und Weisach [Weissach], beide von Bächen besprudelt, verlieren auf der stündigen Fahrt bis dahin an Aufmerksamkeit, obgleich ihr natürlicher Schmuck nicht wenig dagegen streitet. Die tausendfältigen Berge und Hügel, welche hier unter einander geworfen, bald Wälder, bald Wiesen und Äcker tragen, scheinen mit ihren Häuschen wie im Wettkampf von den rückwärtigen Alpen herabzulaufen; die Uferhöhen und Gruppen von Bäumen dagegen, machen den Steinklumpen Kufstein bald vor bald zurücktreten; man verwünscht das unnütze Gauklerspiel, welches im Gussregen am unpassendsten langweilt. Endlich nach drei Stunden ist der siebenstündige Fußweg von Rattenberg zurückgelegt; man kann also, da vorbenanntes Städtchen die kleinere Hälfte von Hall nach Kufstein bildet, die ganze Reise unaufgehalten in sieben Stunden bequem vollbringen, indes man zu Lande bei gutem Schritte 16 Stunden, die Raststationen ungerechnet, benötigt.

Blick vom Kaiseraufstieg auf Stadt und Festung Kufstein.

Einige Klafter unter der schönen und auf steinernen Pfeilern ruhenden Brücke, dem Dorf Zell gegenüber, ist der gewöhnliche Landungsplatz. Kufstein liegt eng am Strom und ist mit hohen Ringmauern in Nord und Osten umgeben; gegen Südwest erhebt sich das Schloss oder die eigentliche Festung auf einem steilen und auch überhängenden Fels, der ihm an gewechselten Standpunkten von weiten die Form riesiger Salzkufe oder unermesslichen Kopfes mit Nasen und Ohren leiht; daher auch die allgemeine Benennung – Kopfstein, bei den Landleuten. Die Stadt selbst ist so klein, dass man ungehindert vom oberen zum unteren

Tor, oder umgekehrt, jedem Nieser – Wohlsein zuwünschen kann; sie besteht eigentlich nur aus einer einzigen schiefen Gasse, worin 28 meist drei Stockwerke messende Häuser aufgestellt sind. Östlich an der Stadt machen einige Häuschen eine Art von Vorstadt; doch glaube ich, dass die Bevölkerung insgesamt nicht 500 Seelen übersteigt.

In Kufstein sind zwar der Kommerzial-Straße wegen genug Wirtshäuser vorhanden, aber die Stille, das Eingeschlossene und Traurige im Städtchen, machen jeden Bissen zum Würgapfel; ich wundere mich, dass hier jemand anderer als ein Soldat zu hausen bereit ist.

Da der Regen gleich eigensinnig blieb, so verschob ich alle weiteren Untersuchungen auf morgen, ließ mir durch den Wirt die Vidimierung [Beglaubigung] des Passes und einen Erlaubniszettel, die Festung zu besichtigen, besorgen und ging auf mein Zimmer. Des Färbers und des Müllers Nachtmahl nahm ich ihres Geldmangels und höflichen Benehmens wegen zu meiner Zeche; die Folge wird lehren, wie sie es verdienten.

Das Wetter hatte über Nacht ausgetobt, fröstelnde Kühle blieb zum Morgen übrig, wie die Schwäche dem Rekonvaleszenten, ich beeilte mich zur Festungsbesichtigung. Am Fuß des Felsens, beim einzigen Aufgang zur Festung, befindet sich rechts eine Militär-Wachstube; jeder Ein- und Ausgehende wird von dem Posten genau besichtigt; man kommt durch das kleine eisenbeschlagene Tor zur Stiege, welche bis hinauf mit dicken, meistens eichenen Pfosten links und an der Decke umbaut ist; rechts ist die Felswand, in der schwere eiserne Ringe zur Ketten-Anlegung oder Geschütz-Hinaufziehung dienlich, eben so wenig von Eisensparung zeigen, als die großen Klammern und Schrauben in vorbenannter Holzeinfassung; kleine Fensterchen darin bieten Licht und Gelegenheit zur Verteidigung bei Belagerung. Schon hört man Kettengerassel und Stimmen; dumpf bricht sich der Ton in der bedeckten Stiege, und der Wanderer zögert schaudernd. Zwischen Batterien, Hornwerken und Bastionen von Felsen erblickt man das kriegerische Freie; noch hat man keine Zeit, um die Wehrtürme und Ravelins alle zu besichtigen; denn einige Dutzend bleiche, aufgedunsene Arrestanten schleppen, je nachdem die Anzahl der Strafjahre ihnen leichtere oder schwere Eisen diktierte, ihre marternde Bürde dem Fremden entgegen und flehen um Almosen oder bringen aus gefärbten Rosshaar wirklich herrlich geflochtene Uhr- und Halsketten, nette Ringelchen mit den rein eingearbeiteten Inschriften: Zum Angedenken, Vergiss mein nicht, Glücklich der Freie und dergleichen um Spottpreise zum Kaufe. Ein Franzose, welcher im Jahre 1811 auf dieser Festung büßte, hat die Haarflechterei einigen Unglückskameraden mitgeteilt und dadurch als bleibende Kenntnis allen Nachsträflingen vererbt. Von dem gelösten Gelde darf sich jeder wöchentlich ein Seitel Bier und ein Lot Rauchtabak (aber nur zum Kauen) anschaffen, die übrige Barschaft zu neuer Material-Anschaffung verwenden. Den gesunden Arrestanten werden täglich Arbeiten, hauptsächlich Reinigung der Wege, Ausbesserung der Festungswerke und dergleichen angewiesen – besondere Staatsverbrecher und ehemalige Offiziere ausgenommen, welche aber ebenfalls, wenn sie ihr Kämmerchen der frischen Luft wegen mit den Rambats der Festung auf Viertelstunden vertauschen, wie die gemeinen Verbrecher, Soldatenwache bei sich haben. Die Anzahl der Arrestanten, welche durchaus der Militärbranche zugehören, ist des Raumes wegen auf 45 Köpfe beschränkt, sie haben leidliche Wohnungen, nach ihrem Stande entweder in den Erdgeschossen oder in den Stockwerken der Festungsgebäude und Türme; die Kasematten sind alle leer.

Ein Feldwebel und ein Gemeiner begleiteten mich zu den verschiedenen Abteilungen der Festung; zuerst besah ich die bedeckten Wege, Sternschanzen und oberen Terrains, welche bei den ungeheueren Türmen, Minen, Hornwerken, Batterien ec. die Festung furchtbar und unbezwinglich kleiden, aber es ist nichts als Hülle, womit sie ihr schmeicheln; denn mit einem Blicke wird der Taktiker die Unhaltbarkeit der Festung für die Dauer erkennen. Kein Artillerist kann auf Sicherheit pochen beim Geschütze, da von höheren Bergen die Festung bequem aus Kanonen und Bomben bestrichen werden kann. Unter den kleinen Festungen ist sie aber dem ungeachtet wider Überfälle und Belagerungen für kurze Zeit, eh noch die Feinde schweres Geschütz herbei zu bringen vermögen, am ersten zum haltbarsten Widerstande geeignet. Nur in den Zeiten des Faustrechts konnte man diese erhabene Felsenplatte, so lange noch ein Mann das Schwert oben schwang oder ein Junge beim Steinkorbe stand, unüberwindlich preisen!

Nun mussten Lichter aushelfen, denn abwärts gings in die Kasematten, deren zwei und vielleicht mehrere untereinander teils durch Mauer, teils in Felsen angelegt sind; ich hatte an ersteren genug; denn nebst der Moderluft, welche mich darin quälte, brach unter mir ein morsches Brett, und ich sank in die unten befindliche Pulvermine, deren mehrere von den Baiern durchgeschlagen wurden, als sie 1809 die ganze Festung in die Luft zu sprengen gesonnen waren.

Bedauernd jeden, den sein Unglücksstern hierher bleibend verdammt, verließ ich das unterirdische Angstreich. Nun stiegen wir den größten, mit besseren Arrestkammern versehenen Turm hinan; der erste Verbrecher, dessen ich ansichtig wurde, war ein wohlgestalteter Mann von beiläufig 40 Jahren. »Kommen Sie, mein Herr, um ihre Neugier auch an der Verzweiflung zu stillen?« fragte er mit beißender aber reiner Betonung. »Ich beklage das Unglück und will es nie kränken«, erwiderte ich und eilte die Treppe hinab mit einer Engbrüstigkeit, als drücke Mord meine Seele. Keine Minute wäre ich länger verweilt, der Felsgrund schien zu brennen unter meinen Füßen, bis ich in der Stadt wieder zu freien Atem gelangte.

Schurkenbeispiel.

Vom Wirte ward mir reichliches Frühstück bereitet, ein noch größeres hatten sich die zwei Burschen auf meine Rechnung geben lassen, und dazu eine Flasche Branntwein, Brot und Käse zum Mitnehmen auf die Wasserreise. Der Wirt willfahrte ihnen, weil ich unvorsichtiger Weise bei der gestrigen Zeche für sie, beide als gesittete Leute schilderte, denen ich bis Rosenheim mitzufahren erlaubt hätte und überdies für ihre Rudermithilfe das bisschen Nahrung schenken wolle. Der Färber trug die Viktualien zeitlich zum Schiffchen, um nach seiner Äußerung dasselbe zu hüten, bis ich vom Schlosse und Frühstück hinkommen würde; der

Müller weilte noch geraume Zeit beim Imbiss, und nach befriedigter Frage, wann die heilige Messe in der Kirche statt finde? bat er, ihn von dort zu holen, in so ferne ich vorher eintreffen sollte.

Der sorglose Wirt machte ein sonderbar langes Gesicht, da ich diese Angaben – Keckheiten nannte und als verdächtig erklärte; zum Glück hatte er niemanden in mein Zimmer gelassen, und somit lief ich getrost, größeren Nachteils befreit zu sein, zum Stromufer. Aber zwei große Steinkohlen-Schiffe ausgenommen, war, wie ich fürchtete, nichts von meinem Kahne zu sehen; die Erzgaudiebe entwichen bereits vor einer Stunde und hatten dem mir nun erzählenden Schiffknecht, welcher mich gestern mitankommen sah, auf sein Befragen, wo der Dritte wäre? die gefasste Lüge angehängt, ich bete in der Kapelle zu Loretto und sie würden unten (beim Kaiserbach) mich erwarten. Mehr als der Preis des Nachen und Frühstücks für die Schurken verdross mich nun bei windstillem Tage die bemüßigte Wanderung neben dem Inn, anstatt dass ich mit aller Bequemlichkeit hätte auf den Wellen hinabgleiten können; ich verwünschte die Unvorsichtigkeit, keine Kette und Schloss mitangeschafft zu haben; mehr aber als Alles empörte mich der äußerste Undank jener Schelmen, welche wegen ein paar Gulden jedes bessere Menschengefühl herabsetzten und mir ein Beispiel von Schlechtigkeit aufstellten, dessen ich noch nie erfahren. Solch ein Zug gäbe Hypochondristen Gelegenheit, für immer Menschenfeinde zu werden. Wahrlich! welche Mühe braucht es, Landsleute – oft Verwandte mit einander in Freundschaft zu verweben; wenn es aber darauf ankommt, einen Dritten zu betrügen, da werden Asiaten und Europäer bald verbrüdert!

Schluss der Wanderung in Tirol.

Der Wirt konnte sich aus Verwunderungen gar nicht heraushelfen; am Ende prophezeite er den Gaunern, früh oder spät, auf einer Festung sichere Plätze. Ich verließ Kufstein und betrachtete missmutig die auf schöner Wiesenfläche gepflogene Loretto-Kapelle und den sonach die Straße unterdringenden Kaiserbach, denen ich schon längst anwesend gelogen wurde. Das Tal wird breiter, Äcker und Wiesen scheinen hier

Abzug von der Alm.

auf dem guten Boden trefflich bestellt. In einer halben Stunde erreicht man den Weiler Aichlwang [Eichlwang], merkwürdig, weil jenseits von dem ins linke Inn-Ufer einbrechenden Windhagerbach [?] das baierische Gebiet schon beginnt; das rechte trennt sich erst drei Stunden später bei Windhausen [Windshausen] vom österreichischen Besitze. Ein Wäldchen von Tannen und Föhren und rechts tirolische Felsenwände machen den bedeutenden Landwechsel dem Wanderer noch eine Zeitlang vergessen.

Durch den Weiler Oberdorf [Oberndorf] kommt man in einer halben Stunde zu dem voll von Verwüstungsspuren des Aschauerbaches [?] heimgesuchten Dorfe Ebs [Ebbs]. Von hier reichen die Poststraßen über Marquartstein und Traunstein oder über Kizbühel ins Salzburgische. Allmählich verlor sich mehr und mehr der Rückblick nach Kufstein, bei Niederdorf [Niederndorf] ist er für immer entschwunden. Die südlichen Alpen, welche man noch vor einer Stunde lobte, sind geschmolzen im Äther oder Nebel; dagegen lächeln andere Gegenstände dem

Wandler: Birnen, Äpfel und Zwetschken, im flachen Lande längst schon verzehrt, krümmen hier noch tief die Äste der Bäume. Ich wollte mir im anmutigen Weiler Mühlgraben das lang Entbehrte kaufen; nicht reich waren die Burschen und Dirnen, welche emsig an den Obstbäumen ihre Kraft im Rütteln versuchten, aber beleidigt schienen sie, als ich für ein Tuch voll Pflaumen und wohlriechender Äpfel Bezahlung anbot. Ich werde bei der Ernte ihnen doch den Segen nicht wegkaufen wollen? zürnten sie und liefen davon, als beruhte ihr Heil auf meiner unentgeltlichen Annahme des Obstes.

Rechts ruht auf sanftem Hügel der Weiler Hochau [?] so zauberisch, als strebte er dem Waller die Trennung von diesem Ländchen so schwer als möglich zu machen; der schäumende Alpenbach neben ihm eilt desto hitziger zur Reise, obgleich ihn ewiglich frostet. Ich überschritt denselben und kam bald zum Dorfe Erl. Hier überraschte mich noch das seltene und letzte Fest des Alpenländchens; die ganze Dorfgemeinde schien in Reih und Glied aufgestellt, Glockengeläute und Jubelruf spielten ein freudig Duett – es war der feierliche Einzug der Herden von der nun verwaisten Alpenweide. Mit Seidenbändern und Blumenbüschen verschwenderisch ausgestattet, schritten die wohlgenährten Kühe, von den Sennerinnen bis zur glänzenden Politur gestriegelt, sich selbst den Takt läutend, gravitätisch durch die gaffenden Reihen; stolz auf ihre Zöglinge ging an der schönsten immer die Pflegerin, mit einer Miene, die Dido's Reichtum und einer Bachantin Frohsinn ausdrückte. Ihr Bursche durfte neben ihr die Freude und das Lob der Herrnleute und Nachbarn teilen. Den Schluss machten Kälber und Schafe, welche mit einer Schar Kinder zugleich die Ställe füllten.

Für die Ausschmückung des Rindviehs, welche die Sennerin von den paar Lohngulden bestreitet, macht der Beifall des Volkes ihren einzigen Gewinn; und doch ist er ein beinahe unentbehrliches Erfordernis beim Heimtriebe.

Nun senkt sich etwas der Weg; rechts auf der Anhöhe steht ein alter viereckiger Turm voll Fenstern – es ist der

Grenzposten Windhausen [Windshausen],

den vorher immer Militärbesatzung inne hatte, seit aber sein Holzwerk abbrannte, hat sich die Grenze zum Waffenstillstand entschlossen. Ich erklomm ihn, nicht um darin Merkwürdigkeiten zu entdecken, sondern etwas von dem liebgewonnenen Tirol mir noch einzuprägen.

»Leb wohl du Land, dem die Täler – Wiegen, die Flüsse – Adern, die Berge – Waffen, die Felsen – Kinder sind! Die Seen machen deine Spiegel, die Wälder deine Gärten aus; und an der Alpen Brust feiern die Wolken – Opfer für des hohen Land's Geburt. Von der Wasserfälle Brüllen, von der Lawinen polternd Sturz, braus't dein Äther; deine Mauern aber stehen, trotzen wie die Ewigkeit! – Noch einmal, lebe wohl schöne Bergwelt! Nichts verbindet ferner mich mit dir, als mein Dank und der Strom, der mir im guten Wien dein Befinden weisen soll!«

Im Fortwandern entkeimte der Wunsch meinem Herzen: Das Leben möge immer dieser Reise gleichen, mannigfaltig und flüchtig im Einzelnen, aber reich an herrlichen Minuten und ewig langsam das Vergessen dieses Glücks!

***

Nachtrag:
Josef Kyselak wurde nur 33 Jahre alt, denn sechs Jahre nach seinem Tirol-Aufenthalt fiel er der im Sommer und Herbst 1831 in Wien und anderen europäischen Großstädten wütenden Cholera-Epidemie zum Opfer.

[Das Wahrzeichen Innsbrucks, der Prunkerker mit dem »Goldenen Dachl«, wurde nicht, wie von Kyselak irrtümlich angegeben, durch Herzog Friedrich IV. erbaut, sondern im Zeitraum um 1500 durch Kaiser Maximilian I.]

Die Illustrationen in diesem Buch wurden den im Jahr 1880 im Stuttgarter Gebrüder-Kröner-Verlag erschienenen folgenden zwei Bänden entnommen:

Unser Vaterland in Wort und Bild
Wanderungen durch Tirol und Vorarlberg

Unser Vaterland in Wort und Bild
Wanderungen im Bayerischen Gebirge und Salzkammergut